ATÉ O VERÃO TERMINAR

Obras da autora publicadas pela Editora Record:

Série **Slammed**
Métrica
Pausa
Essa garota

Série **Hopeless**
Um caso perdido
Sem esperança
Em busca de Cinderela

Série **Nunca, jamais**
Nunca, jamais
Nunca, jamais: parte 2
Nunca, jamais: parte 3

Série **Talvez**
Talvez um dia
Talvez agora

Série **É Assim que Acaba**
É assim que acaba
É assim que começa

O lado feio do amor
Novembro, 9
Confesse
Tarde demais
As mil partes do meu coração
Todas as suas (im)perfeições
Verity
Se não fosse você
Layla
Até o verão terminar
Uma segunda chance

ATÉ O VERÃO TERMINAR

COLLEEN HOOVER

Tradução
Mariana Serpa

22ª edição

— *Galera* —

RIO DE JANEIRO

2025

CIP-BRASIL. CATALOGAÇÃO NA PUBLICAÇÃO
SINDICATO NACIONAL DOS EDITORES DE LIVROS, RJ

H759a
22ª ed.

Hoover, Collen, 1979-
    Até o verão terminar / Collen Hoover ; tradução Mariana Serpa. - 22ª ed. - Rio de Janeiro : Galera Record, 2025.

    Tradução de: Heart bones
    ISBN 978-65-59-81037-6

    1. Ficção. 2. Literatura infantojuvenil americana. I. Serpa, Mariana. II. Título.

21-71725   CDD: 808.899282
                                  CDU: 82-93(73)

Camila Donis Hartmann - Bibliotecária - CRB-7/6472

Título original:
Heart bones

Copyright © 2020 by Colleen Hoover

Todos os direitos reservados.
Proibida a reprodução, no todo ou em parte, através de quaisquer meios.
Os direitos morais do autor foram assegurados.

Texto revisado segundo o novo Acordo Ortográfico da Língua Portuguesa.

Direitos exclusivos de publicação em língua portuguesa somente para o Brasil adquiridos pela
EDITORA RECORD LTDA.
Rua Argentina, 171 - Rio de Janeiro, RJ - 20921-380 - Tel.: (21) 2585-2000, que se reserva a propriedade literária desta tradução.

Impresso no Brasil

ISBN 978-65-59-81037-6

Seja um leitor preferencial Record.
Cadastre-se e receba informações sobre nossos lançamentos e nossas promoções.

Atendimento e venda direta ao leitor:
sac@record.com.br

Kelly Garcia, este livro é para você, seu marido e sua eterna felicidade.

Um
VERÃO DE 2015

Na parede da nossa sala de estar há um quadro da Madre Teresa pendurado onde ficaria uma televisão, se tivéssemos dinheiro para comprar uma de pendurar na parede, ou mesmo uma casa com paredes que comportassem uma televisão.

As paredes de um trailer não são feitas do mesmo material de uma casa normal. Em um trailer, basta um arranhão e elas se esfarelam nos dedos feito giz.

Certa vez, perguntei à minha mãe, Janean, por que ela tinha um quadro da Madre Teresa na parede da sala.

— Aquela vagabunda era uma farsante — respondeu ela.

Palavras dela. Não minhas.

Quando se é uma pessoa horrível, imagino que buscar o que há de horrível nos outros seja uma espécie de tática de sobrevivência. Levar o foco à obscuridade alheia, na esperança de mascarar a própria obscuridade. Foi assim que a minha mãe viveu a vida inteira. Sempre buscando o pior em todo mundo. Até na própria filha.

Até na Madre Teresa.

Janean está deitada no sofá, na mesma posição em que estava há oito horas, quando saí para meu turno de trabalho no McDonald's. Encara o quadro da Madre Teresa, mas na verdade não está *olhando* para ele. É como se os olhos dela tivessem parado de enxergar.

Parado de absorver.

Janean é dependente química. Percebi esse fato lá pelos nove anos, mas naquela época os vícios se limitavam a homens, álcool e apostas.

Ao longo dos anos, os vícios foram ficando mais evidentes e muito mais letais. Acho que faz uns cinco anos, eu tinha cerca de quatorze, que a flagrei injetando metanfetamina pela primeira vez. Quando uma pessoa começa a usar metanfetamina com regularidade, sua expectativa de vida é drasticamente reduzida. Já pesquisei no Google, na biblioteca da escola. *Quanto tempo vive um viciado em metanfetamina?*

De seis a sete anos, segundo a internet.

Já vi minha mãe inconsciente várias vezes durante esses anos todos, mas agora parece diferente. Parece definitivo.

—Janean?

Minha voz soa uma calma que sem dúvida eu não deveria sentir neste momento. Sinto que minha voz deveria estar trêmula, ou indisponível. Eu me envergonho um pouco de minha falta de reação.

Largo a bolsa no chão e a encaro intensamente, no outro lado da sala. Está chovendo lá fora e ainda nem fechei a porta, de modo que estou ficando ensopada. Mas fechar a porta e proteger as costas da chuva é a menor das minhas preocupações neste momento, enquanto observo Janean encarando a Madre Teresa.

Um dos braços de Janean está apoiado na barriga, e o outro está largado sobre a lateral do sofá, com os dedos tocando bem de leve o carpete surrado. Ela está um pouco inchada, o que a faz parecer mais jovem. Não mais jovem que sua idade — ela só tem 39 —, porém mais jovem do que o vício a faz aparentar. As bochechas estão um pouquinho menos encovadas, e os vincos que nos últimos anos surgiram em torno de sua boca parecem suavizados por uma aplicação de Botox.

— Janean?

Nada.

A boca está entreaberta, revelando os dentes lascados, podres e amarelos. Parece que a vida se esvaiu de seu corpo bem no meio de uma frase.

Eu já havia imaginado este momento antes. Quando a gente odeia muito alguém, às vezes, é impossível não passar a noite em claro, na cama, pensando em como a vida seria se essa pessoa estivesse morta.

Eu imaginava uma cena diferente, algo muito mais dramático.

Encaro Janean por mais um instante, esperando para ver se ela não está apenas em algum transe. Dou uns passos à frente e paro ao ver seu braço. Bem na curva interna do cotovelo há uma agulha pendurada na pele.

Assim que vejo isso, a realidade do momento me domina, feito uma membrana pegajosa, e me enche de náusea. Dou meia-volta e saio correndo da casa. Sinto que vou vomitar, então me apoio no corrimão apodrecido, tentando não forçar demais para que ele não entorte sob o meu peso.

Assim que vomito, sou tomada de alívio, pois já estava começando a me preocupar com minha falta de reação a este momento divisor de águas. Posso não estar histérica, como uma filha deveria, mas pelo menos sinto *alguma coisa*.

Limpo a boca na manga do uniforme do McDonald's. Sento-me na escada, apesar da chuva que ainda desaba do céu escuro e impiedoso.

Meu cabelo e minhas roupas estão ensopados. Meu rosto também, mas nada do que escorre por minhas bochechas são lágrimas.

É só chuva.

Olhos molhados, coração seco.

Fecho os olhos e cubro o rosto com as mãos, tentando entender se essa indiferença é fruto de minha criação, ou se nasci com defeito.

Fico pensando qual criação é pior para um ser humano. O tipo em que a pessoa é amada e protegida a ponto de só perceber a crueldade do mundo quando é tarde demais para que desenvolva as habilidades necessárias ao enfrentamento, ou o tipo de criação que eu tive. A pior versão de uma família, cujo único aprendizado é o enfrentamento.

Antes de chegar à idade de poder trabalhar e comprar minha própria comida, passei muitas noites acordada, incapaz de dormir, com o estômago roncando de tanta fome. Certa vez, Janean disse que os roncos que saíam de meu estômago eram os rosnados de um gato esfomeado que morava lá dentro, e o gato continuaria rosnando se eu não o alimentasse. Depois disso, toda vez que eu sentia fome, imaginava aquele gato dentro da minha barriga, procurando uma comida que não estava lá. Meu medo era que ele devorasse minhas entranhas se não fosse alimentado, então às vezes eu comia coisas que não eram comida, só para satisfazer o gato faminto.

Uma vez ela me deixou sozinha por tanto tempo, que catei cascas de banana e de ovo no lixo e comi. Já tentei até comer o enchimento da almofada do sofá, mas era muito ruim de engolir. Passei a maior parte da infância morrendo de medo de estar sendo devorada por dentro, pouco a pouco, por aquele gato esfomeado.

Que eu saiba, ela nunca chegou a se ausentar por mais de um dia, mas para uma criança sozinha o tempo parece muito maior.

Lembro que ela entrava cambaleando pela porta, desabava no sofá e ficava horas lá deitada. Eu adormecia encolhidinha na outra ponta, tamanho era o medo de deixá-la sozinha.

Daí, na manhã seguinte, eu sempre acordava e encontrava minha mãe na cozinha, preparando o café. Nem sempre era um café da manhã tradicional. Às vezes era ervilha, às vezes ovo, às vezes uma lata de sopa de galinha com macarrão.

Lá pelos seis anos de idade, comecei a prestar atenção à forma como ela operava o fogão naquelas manhãs, pois percebi que eu precisaria me virar sozinha da próxima vez que ela desaparecesse.

Imagino quantas crianças de seis anos precisam aprender a mexer num fogão por medo de ser devoradas vivas pelo gato faminto que habita seu estômago.

É questão de sorte, eu acho. A maioria das crianças tem um pai e uma mãe que farão falta depois de morrer. O resto de nós têm um pai e uma mãe que serão melhores depois de mortos.

A melhor coisa que minha mãe fez por mim foi morrer.

•

Buzz mandou que eu esperasse na viatura de polícia, para sair da chuva e da casa, enquanto o corpo era recolhido. Assisti, paralisada, à remoção do corpo da minha mãe numa maca, coberto por um lençol branco. Ela foi enfiada nos fundos de um camburão. Nem se deram ao trabalho de colocá-la numa ambulância. Não havia motivo. Quase todo mundo desta cidade que morre com menos de cinquenta anos morre por conta do vício.

Que tipo de vício não importa; no fim das contas, todos levam à morte.

Colo o rosto na janela da viatura e tento olhar o céu. Hoje não há estrelas. Não consigo nem ver a lua. Vez ou outra um relâmpago estoura, revelando uma massa de nuvens escuras.

Bem apropriado.

Buzz abre a porta traseira e se debruça. A chuva agora já quase parou, então o rosto dele está molhado, mas parece suor.

— Precisa de carona até algum lugar? — pergunta ele.

Faço que não.

— Precisa ligar para alguém? Pode usar o meu celular.

Faço que não outra vez.

— Está tudo bem — digo. — Posso voltar lá para dentro agora?

Não sei se quero mesmo voltar para o trailer onde minha mãe deu seu último suspiro, mas no momento não vejo alternativa mais atraente.

Buzz se afasta um pouco e abre um guarda-chuva, muito embora a chuva tenha estiado e eu já esteja ensopada. Ele vai andando atrás de mim, protegendo minha cabeça enquanto caminho em direção a casa.

Não conheço Buzz muito bem. Conheço o filho dele, Dakota. Conheço Dakota de muitas formas — todas bastante indesejáveis.

Fico pensando se Buzz conhece o filho que criou. Buzz parece ser um cara decente. Nunca ligou muito para mim, nem para a minha mãe. Às vezes, durante as rondas, ele parava a viatura perto do nosso trailer. Sempre perguntava como é que eu estava, e tenho a sensação de que uma parte dele esperava que eu implorasse para ser resgatada dali. Mas eu não dizia nada. Gente como eu tem um talento incrível para fingir que está tudo bem. Eu sempre sorria e respondia que estava ótima, então ele soltava um suspiro, como se aliviado por eu não lhe dar uma razão para chamar o Conselho Tutelar.

Quando retorno à sala de casa, é inevitável não encarar o sofá. Parece diferente agora. *Como se alguém tivesse morrido ali.*

— Você vai passar bem a noite? — pergunta Buzz.

Ao me virar, eu o vejo parado diante da porta com o guarda-chuva sobre a cabeça. Ele me olha, como se tentasse expressar simpatia, mas deve mesmo estar pensando em toda a papelada que essa situação vai ocasionar.

— Estou bem.

— Amanhã você pode ir até a funerária, para organizar tudo. Falaram que qualquer hora depois das dez está ótimo.

Meneio a cabeça, mas ele não vai embora. Hesitante e incerto, ele fica mais um pouco se balançando para lá e para cá. Fecha o guarda-chuva do lado de fora da porta, como se fosse supersticioso, e dá um passo para dentro.

— Sabe — diz ele, franzindo o cenho com força e enrugando toda a testa e uma parte da careca. — Se você não aparecer na funerária, vão enterrá-la como indigente. Você não vai ter direito a velar o corpo, mas pelo menos ninguém vai te forçar a pagar nenhuma conta.

Ele parece envergonhado por ter feito essa sugestão. Ergue os olhos ao quadro da Madre Teresa, então encara os próprios pés, como se a Madre o tivesse repreendido.

— Valeu — respondo. De todo modo, duvido que alguém fosse aparecer se eu organizasse um velório.

É triste, mas é verdade. Minha mãe era solitária, para dizer o mínimo. Ela se reunia com a turminha de sempre no bar que frequentou por quase vinte anos, mas ninguém dali era seu amigo. Eram só outras pessoas solitárias, procurando alguém com quem dividir a solidão.

Até esse grupinho acabou definhando, graças ao vício que destruiu esta cidade. E o tipo de gente com quem a minha mãe saía não é o tipo que comparece a um funeral. A maioria provavelmente tem mandados de prisão não cumpridos e evita qualquer tipo de evento, para não correr o risco de se dar mal caso haja alguma batida da polícia.

— Você precisa ligar para o seu pai? — pergunta Buzz.

Eu o encaro por um instante; sei que vou acabar fazendo isso, mas por quanto tempo será que consigo adiar?

— Beyah — diz ele, esticando o som do "e".

— É *Bay*-uh que se fala.

Sei lá por que falei isso. Ele fala errado desde que a gente se conhece, e até agora nunca me dei ao trabalho de corrigir a pronúncia.

— *Beyah* — corrige ele. — Sei que isso não é da minha conta, mas... você precisa sair desta cidade. Você sabe o que acontece com gente como... — Ele se cala, como se soubesse que as próximas palavras me ofenderiam.

— Gente como eu? — pergunto, concluindo a frase.

Ele agora parece ainda mais constrangido, por mais que eu saiba que ele só quis dizer *gente como eu* num geral. Gente com mães como a minha. Gente pobre, sem condições de sair daqui. Gente que acaba trabalhando em redes de *fast food* até morrer por dentro, daí o chapeiro oferece uma dosezinha para que o restante do turno pareça uma pista de dança, e em dois tempos a pessoa não consegue mais passar um segundo da vida sem uma dose atrás da outra, perseguindo a sensação com mais afinco do que persegue a segurança da própria filha, até começar a injetar direto na veia e encarar a Madre Teresa, e aí a pessoa morre, por acidente, sendo que tudo o que ela queria era escapar de tanta feiura, tanta desgraça.

Buzz parece desconfortável, parado na porta de casa. Eu só queria que ele fosse embora. Sinto mais pena dele que de mim mesma, e fui eu que acabei de encontrar minha mãe morta no sofá.

— Não conheço o seu pai, mas sei que ele paga o aluguel deste trailer desde que você nasceu. Só isso já me diz que ele é uma alternativa melhor do que continuar nesta cidade. Se você tem uma saída, é melhor agarrar. Essa vida que você anda levando aqui... não é nada boa.

Acho que foi a coisa mais bacana que alguém já falou para mim. E justo o pai de Dakota, entre todas as pessoas.

Ele me encara por um instante, como se quisesse dizer algo mais. Ou talvez queira uma resposta. Seja como for, ficamos em silêncio até que ele meneia a cabeça e vai embora. Até que enfim.

Depois que ele bate a porta, eu me viro e encaro o sofá. Fico olhando por tanto tempo, que parece que estou num transe. É estranho como a vida pode mudar por completo no intervalo entre o momento que a gente acorda e a hora que vai dormir.

Por mais que eu odeie admitir, Buzz tem razão. Não posso ficar aqui. Nunca cheguei a planejar nada, mas pensava ainda ter o verão todo para organizar minha saída.

Venho trabalhando feito uma condenada para sair desta cidade, e logo no comecinho de agosto estarei num ônibus rumo à Pensilvânia.

Consegui uma bolsa para estudar e treinar voleibol na Universidade Estadual da Pensilvânia. Em agosto largo esta vida, e não vai ser por nada do que minha mãe fez para mim, nem porque meu pai me tirou daqui. Vai ser *graças a mim mesma*.

Eu quero essa vitória.

Eu quero ser a razão de me tornar o que me tornarei.

Eu me recuso a permitir que Janean leve qualquer crédito por tudo de bom que me acontecer no futuro. Nunca contei a ela sobre a bolsa de estudos. Não contei a ninguém. Fiz meu treinador jurar segredo e não permiti nenhuma menção no boletim ou uma sessão de fotos para o anuário escolar.

Também não contei nada ao meu pai. Nem sei se ele sabe que jogo voleibol. Meus treinadores garantiram que nada me faltasse em termos de equipamentos e uniforme. Eu sempre fui tão boa, que ninguém da escola permitiu que a minha situação financeira me impedisse de integrar a equipe.

Não tive que pedir aos meus pais absolutamente nada relacionado ao voleibol.

É até estranho chamar esses dois de pais. Eles me deram a vida, mas essa foi a única coisa que recebi deles.

Sou fruto de uma noitada. Meu pai morava em Washington e estava no Kentucky a trabalho quando conheceu Janean. Eu já tinha três meses quando ele soube que Janean havia engravidado. Só descobriu que era pai quando recebeu a papelada do pedido de pensão.

Até meus quatro anos, ele vinha me visitar todo ano; depois começou a pagar minhas passagens de avião para ir vê-lo em Washington.

Ele não sabe nada sobre a minha vida no Kentucky. Não sabe nada sobre os vícios da minha mãe. Não sabe nada a meu respeito além das coisas que revelo, que são poucas.

Sou muitíssimo reservada em relação a todos os aspectos da minha vida. Os segredos são a única moeda de troca que tenho.

Não contei ao meu pai sobre a bolsa de estudos pela mesma razão por que jamais contei à minha mãe. Não quero que ele sinta orgulho pelas minhas conquistas. Ele não merece sentir orgulho de uma filha a quem dedica tão pouco esforço. Acha que um cheque mensal e uns telefonemas esporádicos para o meu trabalho são suficientes para disfarçar o fato de que ele mal me conhece.

É o tipo de pai que marca presença duas semanas por ano.

O fato de estarmos em pontos tão distantes do mapa acaba sendo uma justificativa conveniente para sua ausência em minha vida. Desde os quatro anos passo quatorze dias com ele todo verão, mas nos últimos três anos simplesmente não o vi.

Quando fiz dezesseis e passei a integrar a equipe oficial da escola, o voleibol ganhou ainda mais espaço em minha rotina diária, então parei de visitá-lo. Já faz três anos que invento desculpas para não ir.

Ele finge que fica triste.

Eu finjo que estou ocupada e peço desculpas.

Desculpa, *Brian*, mas mandar um cheque por mês faz de você uma pessoa responsável; não um pai.

A batida súbita à porta me assusta tanto, que solto um ganido. Dou um giro e vejo o proprietário do trailer pela janela da sala. Normalmente não abriria a porta para Gary Shelby, mas não estou muito em posição de ignorá-lo. Ele sabe que estou acordada. Tive que usar o telefone dele para chamar a polícia. Além do mais, preciso saber o que fazer com esse sofá. Não quero mais isso dentro de casa.

Quando abro a porta, Gary me entrega um envelope e vai forçando a entrada, para escapar da chuva.

— O que é isso? — pergunto a ele.

— Aviso de despejo.

Se fosse qualquer pessoa além de Gary Shelby, eu me surpreenderia.

— Ela literalmente acabou de morrer. Não dava para esperar uma semana?

— Ela estava devendo três meses de aluguel, e não alugo para adolescentes. Ou a gente assina contrato com uma pessoa maior de idade, ou você sai.

— Mas é o meu pai que paga o aluguel. Como assim, estamos devendo três meses?

— Sua mãe falou que já faz uns meses que ele parou de mandar os cheques. O Sr. Renaldo está querendo um lugar maior, então acho que vou trocar...

— Você é um babaca, Gary Shelby.

Gary dá de ombros.

— São negócios. Já mandei dois avisos. Tenho certeza de que você tem para onde ir. Não pode ficar aqui sozinha, só tem dezesseis anos.

— Fiz dezenove na semana passada.

— Que seja, tem que ter vinte e um. São os termos do contrato. Além de pagar o aluguel, lógico.

Tenho certeza de que o despejo de um inquilino requer algum tipo de processo legal, até que ele possa de fato me expulsar desta casa. Mas não faz sentido lutar, sendo que nem quero mais morar aqui.

— Quanto tempo tenho?

— Vou te dar uma semana.

Uma semana? Tenho vinte e sete dólares no bolso e nenhum lugar aonde ir.

— Não pode ser dois meses? Em agosto vou para a universidade.

— Talvez, se você não estivesse devendo três meses de aluguel. Mas daí vão ser três meses, mais esses dois, e não tenho condições de conceder a *ninguém* quase meio ano de isenção no aluguel.

— Você é tão babaca — murmuro, entre os dentes.

— Já falamos sobre isso.

Percorro mentalmente a lista de amigos com quem poderia passar os próximos dois meses, mas Natalie partiu para a faculdade no dia seguinte à nossa formatura, para já ir se adiantando nas disciplinas de verão. Minhas outras amigas já saíram de casa, engatando a marcha para serem novas Janean na vida, ou têm famílias que já sei que não permitiriam minha presença.

Penso em Becca, mas ela tem aquele padrasto sórdido. Prefiro morar com Gary a ficar perto daquele homem.

Só me resta uma alternativa.

— Preciso usar seu telefone.

— Está ficando tarde — diz ele. — Amanhã você usa.

Eu o empurro e vou descendo a escada.

— Então você que esperasse até amanhã para me dizer que agora sou uma sem-teto, Gary!

Vou caminhando sob a chuva em direção à casa dele. Gary é o único na área dos trailers que ainda tem telefone fixo, e como a maioria de nós é pobre demais para ter celular, todo mundo usa o telefone dele. Bom, pelo menos quem está com o aluguel em dia e não vive tentando evitá-lo.

Já faz quase um ano desde a última vez que liguei para meu pai, mas sei o número de cabeça. Já faz oito anos que ele tem o mesmo número. Ele liga para o meu trabalho uma vez por mês, mas quase sempre fujo da ligação. Não dá para ter muita conversa com um sujeito que eu mal conheço, então prefiro nem falar a ter que soltar mentiras do tipo *"tudo bem com a mamãe, tudo bem na escola, tudo bem no trabalho, tudo bem na vida"*.

Com esforço, engulo o orgulho e ligo para ele. Fico esperando que caia na caixa postal, mas meu pai atende ao segundo toque.

— Aqui é o Brian Grim. — diz ele, com a voz rascante. Eu o acordei.

Solto um pigarro.

— Humm. Oi, pai.

— Beyah? — Agora que sabe que sou eu, parece mais desperto e preocupado. — O que foi que houve? Está tudo bem?

A Janean morreu está na ponta da minha língua, mas não consigo falar. Ele mal conhecia a minha mãe. Já faz tanto tempo desde a última vez que ele esteve no Kentucky e a viu, que ela ainda era meio bonita, não parecia um esqueleto ambulante.

— Sim. Está tudo bem — respondo.

É estranho demais avisar sobre a morte dela por telefone. Vou esperar para contar ao vivo.

— Por que você está ligando tão tarde? O que foi que houve?

— Estou trabalhando até tarde, e fica difícil arrumar um telefone.

— Foi por isso que te mandei o celular.

Ele me mandou um celular? Nem me dou ao trabalho de perguntar nada. Tenho certeza de que minha mãe vendeu para conseguir o troço que agora está petrificado em suas veias.

— Escuta — digo a ele. — Sei que já faz um tempo, mas andei pensando se eu não podia ir te visitar antes de começar a faculdade.

— Lógico que pode — responde meu pai, sem hesitar. — É só falar a data, que eu compro a passagem.

Olho para Gary. Ele está a poucos centímetros de mim, encarando meus seios, então viro as costas para ele.

— Eu estava na esperança de poder ir amanhã.

Há uma pausa. Ouço um movimento do outro lado da linha, como se ele estivesse se levantando da cama.

— Amanhã? Tem certeza de que está tudo bem, Beyah?

Inclino a cabeça para trás e fecho os olhos enquanto minto de novo.

— A-hã. A Janean... só preciso de um descanso. E estou com saudade de você.

Não estou, nada. Mal o conheço. Mas apelo para qualquer coisa que me bote num avião e me leve para bem longe daqui.

Ouço um barulho de digitação, como se meu pai estivesse no computador. Ele murmura uns horários e nomes de companhias aéreas.

— Tem um voo da United para Houston amanhã de manhã. Mas você tem que estar no aeroporto daqui a cinco horas. Quantos dias vai querer ficar?

— Houston? Por que Houston?

— Estou morando no Texas agora. Já faz um ano e meio.

Isso é algo que uma filha deveria saber a respeito do pai. Pelo menos ele não mudou o número do celular.

— Ah, esqueci. — Toco minha nuca. — Você não pode comprar uma passagem só de ida por enquanto? Ainda não sei quanto tempo vou querer ficar. Umas semanas, talvez.

— Tudo bem, vou comprar agora. Quando chegar ao aeroporto você procura um guichê da United e pede para imprimirem o cartão de embarque. Encontro você na esteira de bagagem.

— Valeu.

Antes que ele diga outra coisa, eu desligo. Quando me viro de volta, Gary aponta com o polegar para a porta da frente.

— Posso te levar ao aeroporto — diz ele. — Mas tem um preço.

Ele escancara um sorriso, um esgaçar de lábios que faz meu estômago revirar. Quando Gary Shelby oferece um favor a uma mulher, o preço nunca é pago em dinheiro.

Agora, se eu tiver que trocar favores com alguém por uma carona até o aeroporto, prefiro que seja com Dakota, não Gary Shelby.

Com Dakota já estou acostumada. Por mais desprezo que eu sinta por ele, pelo menos dá para confiar.

Torno a pegar o telefone e digito o número de Dakota. Meu pai falou que só preciso chegar ao aeroporto daqui a cinco horas, mas se ficar muito tarde Dakota pode acabar dormindo e não atender minha ligação. Preciso aproveitar a oportunidade.

Quando Dakota atende, eu sinto um alívio.

— Oi? — diz ele, meio sonolento.

— Oi. Preciso de um favor.

Faz-se um instante de silêncio.

— Sério, Beyah? É madrugada.

Ele nem pergunta de que preciso, ou se está tudo bem. Fica irritado comigo no mesmo instante. Seja lá o que essa relação for, devia ter terminado assim que começou.

Solto um pigarro.

— Preciso de uma carona até o aeroporto.

Ouço Dakota suspirar, como se eu fosse uma amolação. Sei que não sou. Posso até ser só um passatempo para ele, mas um passatempo do qual ele não se cansa.

Então ouço um estalido, como se ele estivesse se sentando na cama.

— Não tenho dinheiro.

— Eu não... não quero dinheiro. Só preciso de uma carona até o aeroporto. Por favor.

— Me dá meia hora — diz ele, com um grunhido, então desliga. Também desligo.

Passo por Gary, saio da casa dele e bato a porta com força.

Ao longo dos anos, aprendi a não confiar nos homens. A maioria dos homens com quem interagi são iguaizinhos a Gary Shelby. Buzz é até ok, mas não posso ignorar o fato de que ele criou Dakota. E Dakota não passa de um Gary Shelby mais jovem e bonito.

Já ouvi falar em homens bons, mas estou começando a achar que é lenda. Costumava pensar que o Dakota fosse um dos caras bons. Por fora, a maioria parece igual a ele, mas por sob a epiderme e os tecidos subcutâneos, corre nas veias um sangue doente.

Quando volto para casa, vasculho o local com os olhos enquanto penso se quero levar algo daqui. Não tenho muita coisa que valha a pena, então pego umas mudas de roupa, minha escova de cabelo e a escova de dentes. Enfio as roupas em sacos plásticos, depois guardo na mochila, para que não fique tudo molhado caso eu pegue chuva.

Antes de sair pela porta da frente para esperar Dakota, pego o quadro da Madre Teresa que está na parede. Tento enfiar na mochila, mas não cabe. Pego outro saco plástico, guardo o quadro e o levo comigo.

Dois

Depois de uma mãe morta, uma conexão em Orlando e várias horas de atraso por mau tempo, eu chego.
No Texas.

Assim que saio do avião rumo à ponte telescópica, sinto o ar do fim da tarde derretendo e fritando minha pele, como se eu fosse manteiga.

Vou caminhando, apática e desconsolada, acompanhando as placas até as esteiras de bagagem para encontrar o pai que fez metade de mim, mas que é um completo estranho.

Não tenho lembrança de nenhuma experiência negativa com ele. Na verdade, os períodos de verão que passei com meu pai são as únicas boas recordações que tenho de minha infância.

Meus sentimentos negativos em relação a ele vêm de todas as experiências que *não* vivenciei. Quanto mais vou crescendo, mais nítido fica o pouquíssimo esforço que ele fez para ser parte da minha vida. Às vezes penso o quanto eu seria diferente se tivesse passado mais tempo com ele do que com Janean.

Será que eu teria me transformado no mesmo ser humano desconfiado e cético se tivesse vivido mais experiências boas do que ruins?

Talvez sim. Talvez não. Às vezes acho que as personalidades são moldadas mais pelo estrago do que pela bondade.

A bondade não se entranha tão fundo na pele quanto o estrago. O estrago inflige uma marca tão profunda à alma, que fica impossível remover. A marca fica para sempre, e sinto que todo mundo é capaz de perceber isso só de olhar para mim.

As coisas poderiam ter sido diferentes para mim se a bondade e os estragos tivessem tido o mesmo peso em meu passado, mas infelizmente não foi assim. Eu podia contar nos dedos as demonstrações de bondade que cheguei a receber. Já os estragos eu não conseguiria calcular nem usando as mãos de cada pessoa neste aeroporto.

Levei tempo até conquistar certa imunidade. Para erguer o muro que protege meu coração de gente como a minha mãe. De caras como Dakota.

Agora sou feita de aço. Pode vir, mundo. Não dá para estragar o impenetrável.

Ao dobrar a curva e ver meu pai pela vidraça do aeroporto, eu paro. Olho as pernas dele.

As duas.

Faz duas semanas que me formei na escola, e embora certamente não esperasse que ele viesse à minha formatura, eu ainda guardava um fiozinho de esperança de que isso acontecesse. Uma semana antes, porém, ele me deixou um recado no trabalho, dizendo que tinha quebrado a perna e não conseguiria viajar até o Kentucky.

De onde estou vendo, nenhuma das pernas parece quebrada.

No mesmo instante agradeço por ser impenetrável pois, se eu não fosse, essa mentira decerto teria me causado um estrago.

Ele está parado junto à esteira de bagagens, sem nenhuma muleta por perto. Anda de um lado a outro sem mancar, sem demonstrar a menor dificuldade. Não sou médica, mas acho que uma perna quebrada demora um pouquinho para ficar boa. E mesmo que fosse super-rápido, com certeza deixaria algumas limitações físicas.

Meu pai ainda nem me viu, e já estou arrependida de ter vindo.

Tudo aconteceu tão depressa nas últimas vinte e quatro horas, que não tive a chance de processar tanta informação. Minha mãe morreu, eu nunca mais vou pôr os pés no Kentucky e viverei as próximas semanas ao lado de um homem com quem passei menos de duzentos dias desde que nasci.

Mas eu aguento.

Sempre aguento.

Cruzo a saída e vou até a área das bagagens. Meu pai ergue os olhos e para de andar. Está com as mãos enfiadas nos bolsos da calça jeans, e assim fica por um instante. Vejo certo nervosismo nele, e até que gosto. Quero que ele se sinta intimidado por sua falta de envolvimento em minha vida.

Neste verão, quero estar em posição de vantagem. Não imagino viver com um homem que acredita ser capaz de compensar o tempo perdido exagerando no papel de pai. Na verdade, preferia que nos limitássemos a coexistir dentro de casa, sem precisar nem conversar, até a hora de minha partida para a universidade, em agosto.

Nós nos aproximamos um do outro. Ele deu o primeiro passo, então me asseguro de dar o último. Não nos abraçamos, pois estou agarrada à minha mochila, à minha bolsa e ao saco plástico com a Madre Teresa. E não gosto de abraços. Toques, apertos e sorrisos não compõem a minha pauta de encontros.

A gente se cumprimenta com um aceno de cabeça sem jeito, e fica óbvio que somos estranhos que compartilham apenas um sobrenome e certa dose de DNA.

— Uau — diz ele, balançando a cabeça e olhando para mim. — Você cresceu. Está linda. E tão alta... e...

Forço um sorriso.

— Você está... mais velho.

Seu cabelo preto está salpicado de mechinhas brancas, e o rosto está mais redondo. Ele sempre foi bonito, mas a maioria das meninas acha o próprio pai bonito. Agora que sou adulta, vejo que ele de fato é um homem bonito.

Pelo visto, até pais mentirosos podem ser bonitos.

Há outra coisa diferente nele, que nada tem a ver com a idade. Não sei o que é. Nem sei se aprecio.

— Quantas malas você trouxe? — pergunta ele, apontando para a esteira de bagagens.

— Três. — A mentira sai de minha boca imediatamente. Às vezes eu mesma me impressiono com minha facilidade para mentir. Outro mecanismo de enfrentamento que aprendi na vida com Janean. — Três malas vermelhas grandes. Pensei em ficar umas semanas, então trouxe logo tudo.

A campainha apita e a esteira começa a andar. Meu pai caminha para o ponto de saída das malas. Ajeito a alça de minha mochila no ombro — a mochila que contém todos os meus pertences.

Não tenho nem sequer uma mala, que dirá três malas vermelhas. Mas se ele pensar que o aeroporto perdeu minha bagagem, de repente se oferece para reembolsar meus pertences inexistentes.

Sei que é errado fingir que perdi coisas que não existem. Mas ele também não quebrou a perna, então estamos quites.

Mentira por mentira.

Passamos vários minutos de total constrangimento, à espera das malas que sei que jamais chegarão.

Digo a ele que preciso lavar o rosto e vou até o banheiro, onde passo pelo menos dez minutos. Antes de embarcar, tirei meu uniforme de trabalho. Botei um vestido de verão que estava na mochila, todo amassado. E que amassou ainda mais por conta do dia inteiro que passei no aeroporto e espremida no assento do avião.

Encaro meu reflexo no espelho. Não me pareço quase nada com meu pai. Tenho os olhos verdes feito os dele, mas os cabelos castanhos, opacos e sem vida de minha mãe. A boca também parece a dele. Minha mãe tinha os lábios finos, quase invisíveis, então pelo menos ele me deu algo além do sobrenome.

Por mais que algumas partes de mim lembrem meus pais, nunca me senti parte de nenhum dos dois. Sinto que adotei a mim mesma na infância, e desde então vivo sozinha. Essa visita ao meu pai parece só isso... uma visita. Não me sinto voltando para casa. Nem mesmo sinto que acabei de abandonar minha própria casa.

"Casa" para mim ainda parece um lugar mítico, um lugar que passei a vida inteira procurando.

Quando saio do banheiro, todos os outros passageiros já se foram, e meu pai está no balcão da companhia aérea preenchendo um formulário de registro de bagagem extraviada.

— Aqui diz que nenhuma bagagem foi despachada com esse bilhete — diz o funcionário. — Vocês têm o recibo? Em geral o recibo é colado ao verso do bilhete.

Ele olha para mim. Dou de ombros, inocente.

— Eu estava atrasada, então peguei o cartão de embarque e saí correndo. Foi minha mãe que despachou as malas.

Eu me afasto do balcão, fingindo interesse numa placa pendurada à parede. O funcionário diz a meu pai que vai entrar em contato caso as malas sejam localizadas.

Meu pai se aproxima de mim e aponta para a porta.

— O carro está para lá.

•

O aeroporto está dezesseis quilômetros para trás. O GPS informa que a casa dele está 101 quilômetros à nossa frente. O carro cheira a sal e loção pós-barba.

— Depois que você se acomodar, a Sara pode te levar para comprar o que for preciso.

— Quem é Sara?

Meu pai me olha como se não soubesse se estou de brincadeira ou não.

— A Sara. Filha da Alana.

— Alana?

Ele torna a olhar a estrada, e vejo sua mandíbula se contrair de leve.

— Minha esposa? Te mandei o convite do casamento, no verão passado. Você falou que não podia faltar o trabalho.

Ah. *Essa* Alana. Para além do que estava impresso no convite, não sei nada a respeito dela.

— Não sabia que ela tinha uma filha.

— Pois é. A gente não se falou muito este ano — devolve ele, como se também guardasse ressentimento.

Espero estar interpretando mal, pois não entendo bem como ele pode ter mágoas de mim, seja de qualquer modo, feitio ou formato. O pai é ele. Sou só o produto de suas escolhas e falta de contraceptivos.

— Temos muito assunto para pôr em dia — acrescenta ele.

Nossa, e como.
— A Sara tem irmãos? — pergunto, rezando para que não tenha. A ideia de passar o verão com mais gente além de meu pai já é um choque para meu sistema. Não aguento outro aumento de voltagem.
— Ela é filha única. Um pouco mais velha que você, primeiro ano de faculdade, está passando o verão em casa. Você vai amar ela.
Vamos ver. Conheço a história da Cinderela.
Ele estende a mão para a saída de ar do carro.
— Está quente aqui? Ou muito frio?
— Está ótimo.
Eu queria que ele botasse uma música. Ainda não sei levar uma conversa confortável com ele.
— Como é que vai a sua mãe?
Enrijeço o corpo diante da pergunta.
— Ela... — Eu paro.
Não sei nem por onde começar. Parece que esperei tanto tempo para tocar no assunto, que agora chega a ser estranho ou preocupante que eu não tenha contado ontem à noite, ao telefone. Ou no aeroporto, quando o encontrei. E ainda teve a mentira que contei no guichê da companhia aérea — que minha mãe havia me levado até o aeroporto.
— Ela está bem, como há muito tempo não vejo. — Levo a mão à lateral do banco, tentando achar a alavanca para reclinar o encosto. Em vez de alavanca, encontro um monte de botões. Vou apertando, até que o encosto começa a baixar. — Me acorda quando a gente chegar?
Vejo-o assentir e me sinto meio mal, mas não sei quanto tempo ainda temos de viagem e realmente só quero fechar os olhos, tentar dormir e evitar perguntas que não sei se consigo responder.

Três

Um tranco violento faz minha cabeça sacolejar. Abro os olhos e meu corpo desperta com um tremor.

— Estamos subindo numa balsa — diz meu pai. — Desculpa, a rampa sempre dá uns solavancos.

Olho para ele, meio aturdida. Então, as lembranças começam a voltar.

Minha mãe morreu ontem à noite.
Meu pai ainda não faz ideia.
Tenho uma madrasta e uma irmã postiça.

Olho pela janela, mas há fileiras de carros bloqueando toda a minha visão.

— Por que é que a gente está numa balsa?

— O GPS indicou um engarrafamento de duas horas na rodovia 87. Deve ter sido acidente. Achei que a esta hora do dia seria mais rápido pegar a balsa até a península Bolívar.

— Balsa até *onde*?

— É onde fica a casa de verão da Alana. Você vai adorar.

— Casa de *verão*? — Arqueio uma sobrancelha. — Você casou com uma mulher que tem uma casa de verão?

Meu pai dá uma risadinha, mas não foi piada.

Da última vez que fui visitá-lo, ele morava numa quitinete barata em Washington, e eu dormi no sofá. Agora é casado com uma mulher que tem mais de uma casa?

Eu o encaro um instante e entendo de onde vem a mudança no visual. Não é a idade. *É o dinheiro.*

Ele nunca foi rico. Nunca chegou nem perto. Ganhava dinheiro suficiente para pagar a pensão da filha e morar numa quitinete, mas era o tipo de cara que economizava cortando o próprio cabelo e reutilizando copos de plástico.

Agora, olhando para ele, fica bem nítido que as pequenas mudanças se deram graças ao dinheiro. Corte de cabelo no salão. Roupas de marca. Um carro com botões em vez de alavancas.

Olho o volante e vejo um felino reluzente e prateado bem no centro.

Meu pai dirige um Jaguar.

Sinto meu rosto se contorcer numa careta e me viro para a janela, antes que ele veja minha expressão de repugnância.

— Você agora é rico?

Ele solta outra risadinha. Que ódio. Eu odeio esse tipo de risadinha; é a mais condescendente de todas.

— Fui promovido faz uns dois anos, mas não a ponto de poder comprar uma casa de verão. A Alana ficou com alguns bens depois do divórcio, mas também é dentista, então vive muito bem.

Dentista.

Que coisa horrível.

Eu cresci num trailer com uma mãe dependente química, e agora estou prestes a passar o verão numa casa de praia, com uma madrasta com diploma de doutora, ou seja, a prole não deve passar de uma riquinha mimada, com quem não terei absolutamente nada em comum.

Eu devia ter ficado no Kentucky.

Já não me dou bem com outras pessoas em condições normais, mas sou ainda mais bicho do mato com gente endinheirada.

Preciso sair deste carro. Preciso de um momento sozinha.

Eu me estico no assento, e tento olhar a janela para ver se há mais alguém fora do carro. Nunca estive no oceano, nem numa balsa. Durante quase toda a minha vida, meu pai morou em Spokane, que não fica perto do mar, então o Kentucky e Washington foram os dois únicos estados para onde já viajei.

— Posso sair do carro?

— A-hã — responde ele. — Tem um deque de observação no andar de cima. Temos mais uns quinze minutos.

— Você vai sair?

Ele balança a cabeça e pega o celular.

— Preciso dar uns telefonemas.

Saio do carro e olho para os fundos da balsa, mas há umas famílias jogando pedaços de pão para umas gaivotas. Na frente também há um grupo, assim como no deque de observação acima, então vou andando até me afastar da vista de meu pai. Do outro lado da balsa não tem ninguém, então começo a trançar os carros.

Quando chego à amurada, seguro firme e me debruço, observando o oceano pela primeira vez na vida.

Se a limpeza tivesse um cheiro, seria esse.

Tenho certeza de que nunca inalei ar mais puro do que o que estou inalando agora. Fecho os olhos e encho ao máximo os pulmões. A brisa tem um toque salgado, que libera uma sensação de clemência frente ao ar bolorento do Kentucky que ainda circula em meus pulmões.

O vento bagunça meu cabelo, então eu o prendo com as mãos, faço um coque e firmo com o elástico que passou o dia em meu pulso.

Olho para o oeste. O sol está quase se pondo, e o céu exibe um turbilhão de rosa, vermelho e laranja. Já vi o pôr do sol inúmeras vezes, mas jamais tinha visto o sol separado de mim apenas pelo oceano e por uma fina lasquinha de terra. Mais parece uma bola de fogo flutuante, equilibrada sobre o solo.

É o primeiro pôr do sol que me toca tão fundo. Sinto meus olhos lacrimejarem diante de tamanha beleza.

O que isso diz a meu respeito? Ainda não verti uma lágrima sequer por minha mãe, mas desabo diante de um fenômeno cotidiano da natureza?

Mas é impossível não me comover pelo menos um pouco com tudo isso. Tantas cores enfeitam o céu, que é como se a terra usasse as nuvens para escrever um poema, para comunicar sua gratidão aos que dela cuidam.

Respiro fundo outra vez, desejando guardar para sempre essa sensação, esse aroma e o som das gaivotas. Temo que a força dessa cena comece a se esvair se eu vivenciá-la mais vezes. Será que as pessoas que moram na praia apreciam menos esse cenário do que as que passam a vida olhando os fundos da bosta da casa de seu senhorio? Sempre tive essa curiosidade.

Olho em volta, imaginando se as pessoas nesta balsa estão negligenciando toda essa vista. Há algumas apreciando o pôr do sol. Várias continuam dentro dos carros.

Se eu passar o verão olhando essa vista, será que *também* começarei a dar pouca importância a ela?

Alguém no fundo da balsa avisa que viu uns golfinhos. Por mais que eu fosse adorar ver um golfinho, gosto da ideia de me afastar ainda mais da multidão. O povo na frente da balsa avança até o fundo, como mariposas atraídas por uma lâmpada.

Aproveito a chance para passar à frente da balsa, que agora está vazia e isolada dos carros.

Percebo uma embalagem de pão de forma aberta no deque da balsa, junto a meus pés. Era o pão que as crianças estavam dando às gaivotas. Na correria para ver os golfinhos, alguém deve ter deixado cair.

Meu estômago ronca assim que vejo o pão, e lembro que faz vinte e quatro horas que não como nada. Tirando um saquinho de pretzels do avião, não como desde o almoço de ontem, no trabalho, que na verdade foi só uma porção pequena de fritas.

Olho em volta, para conferir se não há ninguém por perto, e pego a embalagem de pão. Meto a mão no saco plástico, tiro uma fatia e devolvo a embalagem ao lugar onde estava.

Debruço-me na amurada e vou partindo o pão em pedacinhos, enrolando e enfiando na boca.

Sempre comi pão assim. Bem devagar.

É uma ideia equivocada, pelo menos no meu caso, que pessoas que vivem na miséria engolem depressa a comida quando têm a chance de se alimentar. Eu sempre saboreio tudo, pois nunca sei quando tornarei a comer. Quando criança, sempre que chegava ao fim de uma embalagem de pão de forma, eu fazia a última fatia durar o dia inteiro.

Terei que me acostumar a isso neste verão, ainda mais se a nova mulher do meu pai souber cozinhar. Eles provavelmente jantam em família.

Vai ser tão estranho.

É triste que me cause estranheza a ideia de me alimentar regularmente.

Levo outro pedaço de pão à boca e me viro de costas, para olhar a balsa. Na lateral do deque superior, escrito em grandes letras brancas, leio o nome Robert H. Dedman.

Uma balsa chamada Dedman? "Homem morto"? Não é nada reconfortante.

A essa altura, várias pessoas já retornaram à frente do deque superior. Os golfinhos devem ter ido embora.

Meu olhar é atraído para um cara, que segura uma câmera como se fosse um pedaço de papel. Não está nem com a tira presa ao punho. A câmera está toda frouxa na mão dele, como se ele tivesse várias outras em casa.

A câmera está apontada para mim. Pelo menos é o que parece.

Olho para trás, mas não vejo nada, então não sei bem o que mais ele poderia estar fotografando.

Olho de volta para ele, que ainda me encara. Por mais que esteja um andar acima de mim, meu mecanismo de defesa é ativado na mesma hora. Isso sempre acontece quando topo com alguém atraente.

De certa forma, ele me lembra dos caras do Kentucky que voltavam às aulas depois de passar o verão inteiro em suas fazendas, sob um sol escaldante. Tinham a pele bronzeada e os cabelos aloirados pelo sol.

Fico pensando que cor terão os olhos dele.

Não. Não fico pensando coisa nenhuma. Não dou a mínima. Atração desperta confiança, que desperta amor, e não quero ter nada a ver com essas coisas. Treinei a mim mesma para me desinteressar ainda mais depressa do que sou capaz de me interessar. Num passe de mágica, o rapaz, antes atraente, passa a ser horroroso a meus olhos.

Daqui de baixo, não consigo decifrar sua expressão. Não sei interpretar muito bem as pessoas da minha idade porque, sendo bem sincera, nunca tive muitos amigos. Agora, a coisa piora com gente *rica* da minha idade. Esses, sim, eu não consigo interpretar.

Olho minhas roupas. Meu vestido desbotado e amarrotado. O chinelo de dedo, que consegui preservar intacto por dois anos. A metade da fatia de pão ainda na mão.

Olho o sujeito outra vez, ainda apontando a câmera para mim, e de súbito me sinto constrangida.

Há quanto tempo esse cara está tirando fotos de mim?

Será que me fotografou roubando o pão largado no chão? Será que me fotografou comendo?

Será que ele vai jogar minhas fotos na rede na esperança de viralizarem, feito aquelas publicações do *People of Walmart*?

Amor, atração, confiança e decepção são alguns sentimentos dos quais aprendi a me defender, mas ao que parece a vergonha ainda é algo que tenho dificuldade de processar. Dos pés à cabeça, sou tomada por uma onda de calor.

Olho nervosa à minha volta, reconhecendo a mistura de pessoas na balsa. O povo de férias em seus jipes, de chinelo e filtro solar. O pessoal dos negócios, ainda de terno, sentados em seus carros.

E eu. A garota que não tem condições de ter um carro *e nem* de tirar férias.

Não pertenço a essa balsa, transportando carros chiques, cheios de gente chique, que segura uma câmera como se segurasse um bolinho de mercado.

Olho outra vez para o cara da câmera. Ele ainda me encara, decerto imaginando o que estou fazendo nesta balsa com minha roupa desbotada, o cabelo cheio de pontas duplas, unhas sujas e meus segredos indecentes.

Olho para a frente e vejo uma porta que leva a uma área restrita da balsa. Saio correndo e entro ali. Logo à minha direita há um banheiro. Entro nele e tranco a porta.

Eu me olho no espelho. Meu rosto está vermelho, e não sei se é por conta da vergonha ou do forte calor do Texas.

Arranco o elástico do cabelo e tento desembaraçar as mechas com os dedos.

Não acredito que vou conhecer a nova família do meu pai com essa cara. A mãe e a filha devem ser bem o tipinho que faz cabelo e unha no salão, que suaviza as imperfeições em procedimentos médicos. Devem falar bem e exalar perfume de gardênia.

Já eu estou suada, pegajosa e cheirando a um misto de bolor e gordura, direto da fritadeira do McDonald's.

Jogo o resto do pão na lata de lixo do banheiro.

Olho outra vez para o espelho, mas vejo apenas a versão mais triste de mim. Talvez a perda de minha mãe ontem à noite esteja me afetando mais do que eu gostaria de admitir. Talvez tenha sido precipitada a decisão de ligar para meu pai, pois não quero estar aqui.

Mas também não queria estar lá.

Neste exato momento, é simplesmente difícil *estar, seja lá onde for.*

Ponto.

Prendo o cabelo de volta no coque, solto um suspiro e abro a porta do banheiro. É uma porta pesada de aço, que bate com força ao se fechar atrás de mim. Dou dois passos e paro, pois alguém desponta no estreito corredor e bloqueia minha passagem.

Eu me vejo encarando os olhos impenetráveis do sujeito da câmera. Ele me olha de volta, como se soubesse que eu estava no banheiro e tivesse vindo até aqui com uma finalidade.

Agora que estou bem mais perto, acho que estava errada; ele não tem a minha idade. Deve ser uns anos mais velho. Ou talvez a riqueza faça as pessoas parecerem mais velhas. Ele exala um ar de confiança, e posso jurar que o cara cheira a dinheiro.

Nem conheço esse homem, mas já sei que não gosto dele.

Da mesma forma que não gosto de outras pessoas com grana. Esse cara não vê problema em fotografar uma garota pobre num momento vulnerável e embaraçoso, e fica por aí segurando a própria câmera feito um babaca descuidado.

Tento me desviar dele para chegar à porta de saída, mas ele dá um passo ao lado e permanece na minha frente.

Seus olhos (azul-claros e estonteantes, infelizmente) perscrutam meu rosto, e odeio a proximidade que há entre nós. Ele dá uma olhadela para trás, como se para confirmar que estamos a sós, então põe discretamente algo na palma da minha mão. Olho para baixo e vejo uma nota de vinte dólares dobrada.

Encaro o dinheiro, então levo o olhar a ele, compreendendo a oferta. Estamos perto de um banheiro. Ele sabe que sou pobre.

Está achando que estou desesperada a ponto de arrastá-lo até o banheiro para agradecer as vinte pratas que ele acabou de botar na minha mão.

O que é que eu tenho, que faz os caras pensarem desse jeito? Que vibração é essa que estou emanando?

Fico tão furiosa, que amasso a nota numa bolinha e jogo em cima dele. Miro no rosto, mas ele se desvia com elegância.

Arranco a câmera da mão dele. Vou virando até encontrar a ranhura do cartão de memória. Abro, puxo o cartão e jogo a câmera de volta. Ele não pega. A câmera desaba no chão, faz uma barulheira, e um pedaço se parte e cai em cima do meu pé.

— Para que isso? — pergunta ele, e se agacha para pegar.

Dou um giro, preparada para sair correndo, mas topo com uma terceira pessoa. Como se já não fosse ruim estar encurralada num corredor com um cara que acabou de me oferecer vinte pratas por um boquete, agora estou encurralada entre *dois* caras. O outro cara não é tão alto quanto o da câmera, mas exala o mesmo cheiro. De golfe. *Golfe é um cheiro?* Devia ser. Eu podia engarrafar e vender para esses babacas.

O segundo cara usa uma camisa preta com a palavra com a palavra *Hispanic* estampada, mas *his* e *panic* estão grafadas em fontes diferentes, um trocadilho entre hispânico e algo como "o terror dele", em inglês. Reservo um momento de respeito à camiseta, porque é muito sagaz, e depois faço uma tentativa de escapar.

— Foi mal, Marcos — diz o cara da câmera, tentando encaixar a parte solta.

— O que rolou? — pergunta o sujeito de nome Marcos.

Por um breve instante, fico achando que talvez esse Marcos possa ter visto nossa interação e vindo ao meu resgate, mas ele parece mais preocupado com a câmera do que comigo. Agora, sabendo que a câmera não pertence ao primeiro cara, eu me sinto meio mal por ter a arremessado.

Eu colo as costas à parede, esperando passar despercebida pelos dois.

O cara da câmera aponta a mão hesitante para mim.

— Eu trombei com ela por acidente e deixei cair.

Marcos olha para mim, depois para o Babaca de Olho Azul. O jeito como os dois se entreolham guarda alguma coisa... algo não dito. Como se eles se comunicassem numa língua que não compreendo.

Marcos se espreme entre mim e o outro cara e abre a porta do banheiro.

— Te encontro no carro, a balsa já vai atracar.

Eu me vejo sozinha outra vez com o cara da câmera, mas meu único desejo é sair dali e retornar ao carro do meu pai. O cara tem os olhos atentos à câmera de Marcos e tenta unir a parte solta.

— Eu não estava te propondo nada. Vi que você pegou o pão e achei que de repente pudesse ajudar.

Inclino a cabeça quando ele faz contato visual comigo, observando sua expressão e tentando detectar a mentira. Não sei o que é pior: ele me propor algo ou sentir pena de mim.

Quero dar uma resposta esperta, mas não digo nada, apenas permaneço parada, encarando o sujeito nos olhos. Alguma coisa nesse cara mexeu comigo, como se a aura dele tivesse garras.

Ele tem um olhar meditativo e meio pesado, que eu pensava existir apenas em pessoas iguais a mim. O que pode ser tão terrível sobre a vida desse cara que me leva a crer que ele tenha sofrido?

Dá para ver que ele passou por alguma coisa. Uma pessoa ferida reconhece outra. É como um clube que ninguém quer fazer parte.

— Pode me devolver o meu cartão de memória? — pergunta ele, estendendo a mão.

Não vou devolver as fotos que ele tirou de mim sem permissão. Eu me agacho, pego a nota de vinte do chão e ponho na mão dele.

— Toma aí seus vinte contos. Compra um cartão novo.

Com isso, dou um giro e escapo pela porta, segurando com força o cartão de memória. Vou trançando as fileiras de carros até chegar ao do meu pai.

Pulo no banco do carona e fecho a porta bem baixinho, pois meu pai está ao telefone. Parece uma ligação de trabalho. Estendo o braço para o banco traseiro e enfio o cartão de memória na mochila. Quando me viro outra vez para a frente, os dois caras estão deixando a área restrita da balsa.

Marcos está ao telefone, e o outro sujeito tem os olhos fixos na câmera, ainda tentando encaixar a parte solta. Os dois caminham até um carro próximo ao nosso. Afundo em meu assento, na esperança de não ser vista.

Eles entram num BMW duas fileiras adiante, perto do meu pai.

No instante em que a balsa começa a atracar, meu pai encerra a ligação e dá partida no carro. Agora só há metade do sol equilibrado no céu. A outra metade foi tragada pela terra e o mar, e eu meio que queria que o mar me tragasse também.

— A Sara está superempolgada para te conhecer — diz meu pai, ligando o carro. — Além do namorado dela, não tem muita gente que frequenta a península regularmente. São mais casas de férias. Airbnb, Vrbo, essas coisas. Tem muita gente nova circulando a cada três, quatro dias, então vai ser bom ela ter uma amiga.

As fileiras de carros começam a sair da balsa. Não sei por quê, mas quando o BMW passa por nós, eu fico olhando. O cara da câmera está olhando pela janela.

Quando ele me vê no banco do passageiro, meu corpo se enrijece.

Cruzamos olhares, mas ele tem o semblante impassível. Não gosto de perceber meu corpo respondendo a esse olhar, então viro o rosto e encaro a janela.

— Como se chama o namorado da Sara?

Desejo com todas as forças que não seja o tal Marcos, nem o amigo babaca dos belos olhos.

— Marcos.

Óbvio.

Quatro

A casa não é tão extravagante quanto eu havia temido, mas mesmo assim é a casa mais linda em que já pus os pés.

Dois andares, de frente para a praia e erguida sobre umas pilastras, como todas as outras casas da vizinhança. Para chegar ao primeiro andar é preciso subir dois lances de escada.

No topo do segundo lance, eu paro, antes de acompanhar meu pai para dentro e conhecer sua nova família.

Tiro um instante para observar a vista. Mais parece uma muralha de praia e mar, estendendo-se até onde meus olhos alcançam. A água parece ter vida própria. O mar inspira. Expira. É magnífico e assustador ao mesmo tempo.

Será que minha mãe chegou a ver o oceano antes de morrer? Ela nasceu e cresceu no Kentucky, na mesma cidade onde morreu ontem à noite. Não me recordo de ouvir histórias sobre qualquer viagem que ela tenha feito, nem de ver fotografias de férias de infância. Sinto uma tristeza por ela. Não imaginava o que sentiria ao ver o oceano pela primeira vez, mas agora quero que todos os seres humanos na terra tenham essa experiência.

Ver o oceano ao vivo parece quase tão importante quanto ter casa e comida. Não é exagero pensar que deveria haver um projeto de caridade com o único propósito de ajudar as pessoas a conhecer a praia. Deveria ser um direito humano fundamental. Uma necessidade. É como se fossem anos de terapia contidos numa única vista.

— Beyah?

Desvio os olhos da praia e vejo uma mulher parada na sala de estar. Ela é exatamente como imaginei. Luminosa feito um picolé, com dentes brancos, belas unhas cor de rosa e cabelos loiros com aparência de caríssimos.

Solto um grunhido, mas não pretendia que fosse ouvido por ninguém. Acho que talvez tenha saído mais alto que o esperado, pois ela inclina a cabeça. Mesmo assim, a mulher sorri.

Vim preparada para evitar abraços, então seguro o quadro da Madre Teresa e a mochila na frente do corpo, como um escudo.

— Oi.

Entro na casa. O ambiente cheira a roupa de cama fresca e... *bacon*. Que combinação estranha, mas até a dupla roupa de cama/bacon é muito melhor que o cheiro de bolor e fumaça de cigarro que vivia entranhado em nosso trailer.

Alana parece confusa com os cumprimentos, já que não há como me abraçar. Meu pai joga as chaves na cornija da lareira.

— Cadê a Sara? — pergunta ele.

— Chegando!

Ouço uma voz aguda e artificial, acompanhada do som de passos descendo as escadas. Uma versão mais jovem de Alana surge à vista, exibindo um sorriso ainda mais branco que o da mãe. Ela vem dando uns pulinhos, bate palmas e solta um gritinho. Honestamente, é assustador.

— Ai, meu Deus, como você é linda — diz a garota, avançando pela sala e agarrando minha mão. — Vem, vou te mostrar o seu quarto.

Ela não me dá nem tempo de recusar. Subo a escada, arrastada pela garota de rabo de cavalo. Ela usa um short jeans e a parte de cima de um biquíni, mas sem blusa. Cheira a óleo de coco.

— O jantar sai daqui a meia hora! — grita Alana, lá de baixo.

Quando chegamos ao andar de cima, Sara solta minha mão e abre uma porta.

Olho meu novo quarto. As paredes são de um azul tranquilo, quase no mesmo tom dos olhos do sujeito da balsa. A colcha da cama é branca, com a estampa de um enorme polvo azul.

A cama está feita à perfeição, com uma quantidade ultrajante de travesseiros.

Tudo parece intocável, de tão lindo e cheiroso, mas Sara se larga na cama e me olha, enquanto observo o quarto. É três vezes maior que o quarto onde cresci.

— O meu é logo ali na frente — diz Sara, apontando para a porta que acabamos de cruzar, e em seguida estende a mão para as duas portas que dão para uma sacada, com vista livre para a praia. — Este quarto tem a melhor vista de todas.

Se tem a melhor vista, mas ninguém dorme nele, deve haver alguma pegadinha. De repente a praia é muito movimentada de manhã e o quarto acaba sendo barulhento demais.

Sara pula da cama, abre uma porta e acende a luz do banheiro.

— Não tem banheira, mas o chuveiro é ótimo. — Ela abre outra porta. — Aqui é o closet. Tem umas coisas minhas aqui, mas ao longo da semana eu tiro tudo. — Ela fecha a porta. Vai até a cômoda e abre a gaveta de baixo. Está cheia de coisas. — Aqui é a gaveta da bagunça, mas as outras três estão livres. — Ela fecha e torna a se sentar na cama. — E aí? Gostou?

Faço que sim com a cabeça.

— Que bom. Não sei em que tipo de casa você mora, mas esperava que não tivesse que baixar o padrão. — Ela estende a mão para a mesinha de cabeceira junto à cama e pega um controle remoto. — Todos os quartos têm tudo. Netflix, Hulu, Prime. Pode usar a nossa conta, está tudo certinho.

Ela não faz ideia de que diz isso a uma garota que nunca nem teve televisão. Desde que entramos no quarto, eu não me mexi nem abri a boca. Ela está falando por nós duas.

— Obrigada — consigo murmurar.

— Quanto tempo você vai ficar? — pergunta ela.

— Não tenho certeza. O verão todo, talvez.

— Ah, uau. Que maneiro.

Pressiono os lábios e assinto.

— Pois é. Maneiro.

Sara não percebe o sarcasmo. Abre um sorriso, ou talvez nunca tenha chegado a deixar de sorrir. Acho que ela deve ter passado a vida inteira sorrindo assim.

— Você já pode se instalar, está bem? Ajeitar as suas coisas.

Vou até a cômoda e deixo o saco plástico no balcão. Largo a mochila no chão.

— Cadê o resto das suas coisas? — pergunta ela.

— O aeroporto perdeu as minhas malas.

— Ai, meu *Deus* — diz ela, supercomovida. — Deixa eu te emprestar umas roupas até a gente ir a uma loja. — Ela pula da cama e sai do quarto.

Não sei dizer se o sorriso dela é genuíno. Isso me deixa ainda mais tensa do que eu estava antes de conhecê-la. Eu confiaria mais se ela fosse fechadona, ou mesmo se fosse uma escrota.

Parece um pouco as garotas da minha escola. Eu as chamava de "mocinhas de vestiário". Bacanas na quadra, na frente do treinador. Mas no vestiário era outra história.

No momento, não sei dizer se estamos na quadra ou no vestiário.

— Que tamanho você veste? — grita ela, do outro lado do corredor.

Vou até a porta e a vejo vasculhando a cômoda do outro quarto.

— Trinta e seis, eu acho. Talvez trinta e oito.

Eu a vejo pausar por um instante. Ela olha pelo corredor e assente de leve para mim, como se minha resposta a tivesse perturbado de alguma forma.

Essa magreza toda não é algo que eu me esforce para ter. Para mim tem sido uma batalha constante tentar ingerir calorias suficientes para manter a energia necessária para o vôlei, visto que não tenho o mesmo acesso à comida que a maioria das pessoas. Até o fim do verão espero conseguir ganhar um pouco de peso.

— Bom, *eu não* visto trinta e seis — diz Sara, voltando ao meu quarto. — Visto três números a mais, na verdade. Mas toma aqui umas camisetas e dois vestidinhos. — Ela me entrega uma pilha de roupas. — Vão ficar largos em você, com certeza, mas dá para o gasto até a companhia aérea devolver as suas coisas.

— Valeu.

— Você faz dieta? — pergunta ela, me olhando de cima a baixo. — Ou sempre foi magrinha assim?

Não sei dizer se o comentário é uma indireta. Talvez seja porque ela desconheça a *razão* da minha magreza, então parece um insulto. Meneio a cabeça de leve, desejando encerrar o assunto. Quero tomar um banho, trocar de roupa e ficar um pouco sozinha. Essa garota não parou de falar desde que me viu.

Ela não vai embora. Retorna à cama e se senta outra vez, deitando a lateral do corpo e apoiando a cabeça na mão.

— Você tem namorado?

— Não. — Levo as roupas ao armário.

— Ai, que bom. Tem um carinha que acho que você vai curtir. O Samson. Ele mora aqui do lado.

Quero pedir a ela que não se dê esse trabalho, que os homens são todos lixo, mas ela certamente não teve o mesmo tipo de interação com caras que eu tive. Dakota não ofereceria dinheiro a uma menina feito Sara. Daria em cima dela de graça.

Sara pula da cama outra vez, vai até a porta da sacada e puxa uma banda da cortina.

— Aquela ali é a casa do Samson — diz ela, apontando pelo vidro. — Ele é super-rico. O pai dele trabalha com petróleo, um troço assim. — Ela cola a testa ao vidro da janela. — Ai, meu Deus, vem cá.

Eu me aproximo e olho pela vidraça. A casa de Samson é ainda maior que essa. Vejo uma luz acesa, na cozinha. Sara está apontando justamente para lá.

— Olha. Tem uma garota com ele.

Vejo um cara entre as pernas de uma garota, sentada na bancada da ilha da cozinha. Os dois estão se beijando. Quando se afastam, solto um arquejo silencioso.

Samson é o Babaca do Olho Azul. O cara que tentou me pagar vinte pratas para entrar com ele no banheiro de uma balsa.

Que nojo.

Mas até que fico impressionada. O cara não perde tempo. Estava na mesma balsa que eu, ou seja, deve ter chegado em casa faz uns dez minutos. *Será que ofereceu vinte pratas a essa garota também?*

— É esse o cara que você queria me apresentar? — pergunto, enquanto a língua dele explora o pescoço de outra garota.

— É — responde Sara, sem rodeios.

— Parece que ele já tem dona.

Sara ri.

— Não tem nada. Ela já está indo embora. O Samson só pega as garotas de fim de semana.

— Cruz-credo.

— É o típico riquinho mimado.

Olho para ela, confusa.

— E você quer me empurrar para ele?

— Ele é gato — devolve Sara, dando de ombros. — E é amigo do meu namorado. Seria legal se a gente saísse de casal, fizesse coisas juntos. Às vezes o Samson fica meio de vela.

Faço que não e me afasto da janela.

— Não tenho interesse.

— Pois é, ele falou a mesma coisa quando eu disse que talvez você passasse o verão aqui. Mas de repente, depois de se conhecerem, vocês mudam de ideia.

Eu já conheci. E não estou interessada.

— *A última* coisa que preciso agora é de um namorado.

— Ai, meu Deus, não. Não estou falando de *namorar*. Estou falando só... você sabe. Tipo uma ficada de verão... mas, enfim, já entendi. — Ela solta um suspiro, como se estivesse decepcionada.

Só quero que ela saia, para eu ter um pouco de privacidade. Ela me olha um instante, e a vejo pensando em outra pergunta, outro assunto para puxar.

— A minha mãe e o seu pai não são muito rígidos, já que a gente já terminou a escola. Só querem sempre saber onde a gente está, que é basicamente aqui na frente, na praia. A gente acende uma fogueira toda noite e fica por lá.

Então me ocorre que essa garota conhece mais do que eu o estilo de cuidado do meu pai. Até este momento eu não tinha pensado nisso. Sei que ele se chama Brian, que não quebrou a perna e que trabalha com finanças. É só.

— Onde é que você quer fazer compras amanhã? A gente vai ter que ir a Houston, aqui só tem um Walmart.

— No Walmart está ótimo.

Sara ri, mas quando vê que não estou rindo morde o lábio e fecha o sorriso.

— Ah. Você estava falando sério. — Ela solta um pigarro, muito desconfortável, e talvez seja este o momento em que ela percebe que não somos nada parecidas.

Não sei como vou sobreviver a um verão inteiro com uma garota que considera o Walmart uma piada. Passei a vida inteira comprando minhas coisas em brechós e bazares de garagem. O Walmart é um avanço para mim.

Sinto vontade de chorar e não sei por quê.

Percebo as lágrimas vindo. De repente, sinto saudade da minha antiga casa, da minha mãe dependente química, da geladeira vazia. Sinto saudade até do cheiro dos cigarros dela, o que jamais imaginei que fosse possível. Pelo menos aquele cheiro era autêntico.

Este quarto tem cheiro de riqueza, elegância e conforto. Tem cheiro de fraude.

Aponto para o banheiro.

— Acho que vou tomar um banho.

Sara olha o banheiro, então para mim. Percebe que é a sua deixa para sair.

— Mas não demora, porque a mamãe gosta de jantar em *família* aos fins de semana. — Ela revira os olhos ao dizer "família" e fecha a porta do meu quarto.

Permaneço parada no meio desse quarto desconhecido. É coisa demais para absorver.

Acho que nunca me senti tão sozinha quanto agora. Quando morava no trailer com minha mãe, pelo menos sentia que pertencia àquele lugar. Por mais que fôssemos diferentes, ambas pertencíamos àquele cenário. Aprendemos a conviver e entrelaçamos nossas vidas. Aqui nessa casa, porém, não sei se consigo entrelaçar nada a essas pessoas. Eles parecem paredes de tijolo, com as quais posso dar de cara a cada curva.

É claustrofóbico.

Vou até as portas da sacada, abro uma e dou um passo à frente. Assim que a brisa toca meu rosto, começo a chorar. Não é nem um choro discreto. É uma choradeira que estou adiando faz vinte e quatro horas.

Pressiono os cotovelos na grade da sacada e cubro o rosto com as mãos, tentando abafar o choro antes que Sara resolva voltar ao quarto. Ou pior, meu pai.

Nada adianta. Não consigo parar. Cinco minutos inteiros se passam comigo ali, aos soluços, encarando o mar com os olhos embaçados de lágrimas.

Preciso contar ao meu pai o que aconteceu ontem à noite.

Respiro fundo várias vezes e enxugo os olhos, reunindo toda a determinação possível para recuperar o controle de minhas emoções. No fim das contas, consigo secar um pouco das lágrimas e apreciar a vista do oceano enluarado.

A garota que Samson beijava na cozinha acaba de cruzar uma duna de areia entre as duas casas. Ela se une a um grupo de pessoas reunidas junto a uma fogueira. São todos jovens, provavelmente no fim da adolescência e começo da vida adulta. Devem ser ricos, confiantes e despreocupados. Deve ser isso que a Sara faz toda noite, e esses decerto são os amigos dela.

Mais gente com quem não tenho nada em comum.

Não quero que ninguém me veja aqui em cima, aos prantos, então dou meia-volta para retornar ao quarto.

De repente, congelo.

Samson está parado na sacada ao lado, sozinho, me encarando com uma expressão indecifrável.

Eu o encaro de volta por dois segundos, depois entro no quarto e fecho a porta.

Primeiro, ele me vê comendo pão roubado no deque de uma balsa. Depois me oferece dinheiro, e ainda não sei bem qual foi a motivação daquela oferta. Então, descubro que ele é vizinho da casa onde vou passar o verão.

Agora ele acaba de testemunhar a primeira crise de choro que tenho em anos.

Que beleza.

Foda-se esse verão.

Foda-se essa gente.

Foda-se toda a minha situação atual.

Cinco

Dei meu primeiro beijo aos doze anos.

Era um sábado de manhã. Eu estava parada em frente ao fogão, começando a preparar uns ovos mexidos. Não tinha ouvido minha mãe chegar na noite anterior, então deduzi que estava sozinha em casa. Eu havia acabado de quebrar dois ovos na frigideira quando ouvi a porta do quarto da minha mãe se abrir.

Ergui os olhos e vi um desconhecido saindo do quarto dela, segurando um par de botinas. Ao me ver diante do fogão, ele para.

Eu nunca tinha visto aquele homem antes. Minha mãe estava sempre ficando com alguém novo, ou terminando um relacionamento. Eu fazia o possível para não atrapalhar, quer ela estivesse começando a se apaixonar ou sofrendo uma desilusão. As duas situações eram igualmente dramáticas.

Nunca vou esquecer o jeito como aquele homem olhou para mim. Foi uma encarada lenta, de cima a baixo, como se ele estivesse com fome e eu fosse um prato de comida. Foi a primeira vez que um homem me olhou daquele jeito. No mesmo instante senti um calafrio e voltei a atenção outra vez ao fogão.

— Não vai me dar oi? — disse o homem.

Eu o ignorei, na esperança de que ele fosse embora caso me achasse grosseira. Em vez disso, ele foi cruzando a cozinha e se debruçou no balcão junto ao fogão. Não tirei os olhos dos ovos mexidos.

— Tem para mim também?

Fiz que não.

— Só tinha dois ovos.

— Para mim está bom. Estou morrendo de fome.

Ele caminhou até a mesa e começou a calçar as botinas. Quando terminou, os ovos já estavam prontos. Eu não sabia o que fazer. Estava com fome e só havia dois ovos, mas ele estava ali, sentado à mesa, como se esperando que eu o alimentasse. Eu não sabia nem quem era aquele cara, caramba.

Passei os ovos para um prato, peguei um garfo e tentei sair da cozinha e correr para o meu quarto. Ele me alcançou no corredor, agarrou meu pulso e me imprensou contra a parede.

— É assim que você trata as visitas?

Ele segurou minha mandíbula e me beijou.

Lutei para me desvencilhar. Ele tinha uma boca dolorosa. O restolho de barba espetava meu rosto, e ele fedia a comida podre. Mantive os dentes cerrados, mas ele foi apertando minha mandíbula cada vez mais forte, tentando abrir minha boca. Por fim, usei toda a minha força e o acertei com o prato de ovos na cabeça.

Ele se afastou e largou um tapa na minha cara.

Então foi embora.

Nunca mais o vi. Nunca soube nem o nome dele. Horas depois, minha mãe acordou e viu o prato quebrado e os ovos mexidos largados sobre a lata de lixo. Gritou comigo por ter desperdiçado os dois últimos ovos.

Desde esse dia não como nenhum ovo.

Mas já estapeei muitos namorados da minha mãe.

Conto isso pois quando saí do chuveiro, minutos atrás, senti um cheiro forte de ovo. O cheiro ainda paira no ar.

Está embrulhando meu estômago.

Assim que termino de me vestir, alguém bate à minha porta. Sara enfia a cabeça pela porta.

— Jantar batismal em cinco minutos.

Não faço ideia do que isso significa. Será que eles são super-religiosos ou coisa assim?

— O que é jantar batismal?

— O Marcos e o Samson jantam com a gente todo domingo. É nossa forma de comemorar a partida dos turistas. A gente come junto e dá adeus aos viajantes. — Ela abre mais a porta. — Esse vestido ficou lindo em você. Quer que eu faça sua maquiagem?

— Para jantar?

— A-hã. Você vai conhecer o *Samson*.

Ela sorri, e percebo o quanto odeio encontros armados, por mais que seja minha primeira experiência nesse sentido. Abro a boca para explicar que já conheci Samson, mas resolvo guardar a informação com todos os outros segredos que já escondi na vida.

— Não quero me maquiar. Desço em uns minutinhos.

Sara parece decepcionada, mas vai embora. Pelo menos sabe pegar as deixas.

Segundos depois, ouço no andar de baixo vozes que não pertencem aos moradores da casa.

Observo o vestido amassado que usei o dia inteiro. Está todo embolado no chão, ao lado da cama. Pego o vestido e visto outra vez. Não quero tentar impressionar ninguém. No máximo, quero o efeito oposto.

Meu pai é o primeiro a me ver quando chego à base da escada e vou caminhando para a cozinha.

— Está com uma carinha renovada — diz ele. — Gostou do quarto?

Faço que sim, com os lábios contraídos.

Sara se vira para me olhar, e percebo sua surpresa ao ver que botei meu vestidinho novamente. Mas ela disfarça bem o choque. Marcos está parado a seu lado, servindo um copo de chá gelado. Ao fazer contato visual comigo, ele me olha outra vez, para conferir. É óbvio que não esperava ver a garota da balsa no jantar.

Samson não deve ter contado a ele que me viu aos prantos na sacada mais cedo.

Falando em Samson, ele é o único que não me olha. Está com a cara enfiada na geladeira quando Sara ergue a mão e aponta para mim.

— Marcos, esta é minha irmã postiça, Beyah. Beyah, este é o meu namorado, Marcos. — Ela aponta com o polegar por sobre o ombro. — Aquele ali é o Samson, vizinho da casa ao lado e nossa vela.

Samson dá um giro e me olha por um instante. Ergue o queixo em um meneio de cabeça e abre uma lata de refrigerante. Quando ele leva a latinha aos lábios e dá um gole, só consigo pensar na visão de sua boca no pescoço de outra garota.

— Bem-vinda ao Texas, Beyah — diz Marcos, fingindo que não nos vimos na balsa mais cedo.

Fico grata quando percebo que os dois não vão trazer o assunto à tona.

— Valeu — murmuro. Entro na cozinha, sem saber ao certo o que fazer. Não me sinto à vontade a ponto de pedir uma bebida ou fazer meu próprio prato de comida. Fico ali parada, olhando todo mundo circular tranquilamente.

Por mais faminta que eu esteja, estou morta de medo desse jantar. Seja lá por que razão, as pessoas tendem a suavizar o desconforto com perguntas cujas respostas ninguém está de fato muito interessado em saber. Tenho a sensação de que o jantar inteiro vai ser assim. Eles decerto vão me bombardear de perguntas, e eu realmente só queria fazer um prato de comida, levar para o quarto, comer em silêncio e me deitar para dormir.

Por dois meses seguidos.

— Espero que você curta café da manhã, Beyah — diz Alana, trazendo para a mesa um prato de biscoitinhos. — Às vezes a gente gosta de trocar as refeições e tomar café da manhã no jantar.

Meu pai bota na mesa uma travessa de ovos mexidos. O bacon e as panquecas já estão na mesa. Todos se acomodam, então faço o mesmo. Sara se senta entre Marcos e sua mãe, o que significa que sobrou para mim o lugar ao lado de meu pai. Samson é o último a se sentar, e faz uma pausa ao perceber que o lugar dele é ao lado do meu. Ele se acomoda com relutância. Talvez seja só impressão, mas parece que ele está tentando sutilmente desviar a atenção de mim.

Todos começam a passar a comida. Pulo os ovos, naturalmente, mas o cheiro domina tudo. Assim que dou a primeira mordida na panqueca, meu pai dá início à rodada de perguntas.

— O que você andou fazendo desde a formatura?

Engulo a comida.

— Trabalho, durmo, repito.

— O que é que você faz? — pergunta Sara, de um jeito rico. Não *"onde você trabalha?"*, mas *"o que você faz?"*, como se fosse uma habilidade.

— Sou caixa do McDonald's.

Percebo que ela fica meio aturdida.

— Ah — diz ela. — Legal.

— Que bacana você escolher trabalhar ainda na escola — diz Alana.

— Não foi escolha. Eu precisava comer.

Alana solta um pigarro, e percebo que minha resposta honesta a deixou constrangida. Se isso a incomoda, imagino como ela vai receber a notícia de que a minha mãe morreu de overdose.

— Você deve ter mudado de ideia em relação aos cursos de verão — diz meu pai, tentando mudar de assunto. — Resolveu começar no outono?

A pergunta me confunde.

— Não me inscrevi para nenhum curso de verão.

— Ah. Quando eu mandei dinheiro para o outono a sua mãe falou que precisava de mais, para as inscrições.

Minha mãe pediu dinheiro para inscrições?

Ganhei uma bolsa integral para a Universidade da Pensilvânia. Nem preciso pagar inscrição.

Quanto dinheiro será que ele deu à minha mãe sem que eu nunca ficasse sabendo? Obviamente em algum momento ele me enviou um celular que nunca cheguei a receber. E agora fico sabendo que ela pediu dinheiro para uma inscrição escolar sobre a qual nunca nem se deu ao trabalho de me perguntar.

— Pois é — respondo, tentando inventar uma desculpa para o fato de estar no Texas e não fazendo os cursos de verão que ele pagou. — Demorei muito a me inscrever. As vagas esgotaram.

De súbito, perco totalmente o apetite. Mal consigo engolir a segunda garfada de panqueca.

Minha mãe nunca me perguntou sobre a faculdade. Mesmo assim, pediu a meu pai dinheiro para me inscrever em cursos de verão, dinheiro que provavelmente deve ter ido parar no caça-níqueis de algum cassino ou injetado na veia de seu braço. E ele deu, sem nem questionar. Se tivesse simplesmente me perguntado, eu teria dito que poderia frequentar a faculdade comunitária de graça. Mas eu não quis ficar naquela cidade. Eu precisava me afastar o máximo possível da minha mãe.

Acho que meu desejo enfim se concretizou.

Eu baixo o garfo. Acho que vou vomitar.

Sara também baixa o garfo e dá um gole no chá enquanto me observa.

— Você já sabe o que vai querer estudar? — pergunta Alana.

Faço que não e pego o garfo, para fingir que estou interessada na comida. Percebo que Sara pega o dela também, no mesmo instante.

— Ainda não decidi — respondo.

Cutuco uns pedaços de panqueca, mas não ponho nada na boca. Sara faz o mesmo.

Abaixo o garfo. Sara também.

Outras conversas percorrem a mesa, mas eu faço o possível para ignorar quase todas. Não me sai da cabeça o fato de que Sara está imitando todos os meus movimentos, mesmo tentando ser discreta.

Vou ter que ficar ligada nisso o verão inteiro. Acho que essa garota precisa ser informada de que deve comer quando sentir vontade, não basear sua alimentação na quantidade de comida que *eu* como.

Faço questão de comer pelo menos um pouco, por mais que esteja nervosa e nauseada e que cada garfada seja uma luta.

Por sorte, a refeição é rápida. Vinte minutos, no máximo. Samson não abriu a boca enquanto comia. E ninguém agiu com estranheza. Tomara que ele sempre seja assim, quieto. Vai ser mais fácil prestar menos atenção a ele.

— A Beyah precisa de umas coisas do Walmart — diz Sara. — A gente pode ir hoje à noite?

Não quero ir hoje. Quero dormir.

Meu pai puxa várias notas de cem dólares da carteira e me dá uma.

Mudei de ideia. Quero ir ao Walmart.

— Vamos esperar até amanhã para irmos a um lugar melhor, em Houston — sugere Alana.

— O Walmart está ótimo — respondo. — Não preciso de muita coisa.

— Aproveita e compra um daqueles celulares pré-pago — diz meu pai, entregando-me mais dinheiro.

Arregalo os olhos. Nunca segurei tanto dinheiro na vida. Devo ter uns seiscentos dólares nas mãos neste momento.

— Você dirige? — pergunta Sara a Marcos.

— Dirijo.

De súbito volto a não querer ir, se esses dois caras forem também.

— Eu não vou — diz Samson, enquanto pega o prato e leva até a pia. — Estou cansado.

Que bom. Agora que o Samson não vai, eu quero ir.

— Não seja grosseiro — diz Sara. — Você vai.

— É, você vai — repete Marcos.

Vejo que Samson me olha de soslaio. Pelo menos está tão desinteressado em mim quanto estou nele. Sara começa a caminhar em direção à porta.

— Vou pegar meu sapato — murmuro, e subo ao segundo andar.

•

Ao que parece, não tem nenhum Walmart na península Bolívar, ou seja, precisamos pegar a balsa até a ilha de Galveston. Não faz o menor sentido para mim. Ter que pegar uma balsa do continente até uma ilha para fazer compras. Este lugar é confuso.

A balsa leva cerca de vinte minutos de um ponto a outro. Assim que Marcos estacionou o carro, todo mundo saiu. Sara percebeu que eu ainda não tinha aberto minha porta, então abriu-a para mim.

— Vem, vamos para o deque lá de cima — disse ela.

Não foi exatamente um convite, mas uma ordem.

Menos de cinco minutos depois, Sara e Marcos deram no pé me deixaram sozinha com Samson. Está ficando tarde, já era por volta de nove e meia, portanto, a balsa estava bem vazia. Ficamos os dois encarando a água, fingindo que a situação não é constrangedora. Mas é, pois eu não sei o que dizer. Não tenho nada em comum com esse cara. Ele não tem nada em comum comigo. Já tivemos duas péssimas interações desde que cheguei, há umas horas. Duas a mais do que eu gostaria.

— Estou com a sensação de que eles estão tentando juntar a gente — diz Samson.

Olho para ele, que observa a água.

— Não é uma sensação. É um fato.

Ele assente, mas não diz nada. Não sei por que ele trouxe isso à tona. Talvez para suavizar a tensão. Ou talvez esteja entretido com a ideia.

— Só para você saber, eu não estou interessada — digo. — E não é que esteja fingindo desinteresse e esperando que você tente mesmo assim, porque gosto de joguinhos. Não estou interessada, *real*. Não só em você, mas em outras pessoas, de modo geral.

Ele dá um sorrisinho, mas ainda não me olha. Como se fosse bom demais para fazer contato visual.

— Não me lembro de ter expressado interesse — responde Samson, com frieza.

— Não expressou *desinteresse*, então achei melhor avisar logo. Para não haver confusão.

Ele vira a cabeça bem devagar e me olha nos olhos.

— Valeu por explicar uma coisa que não estava nem confusa, para começo de conversa.

Meu Deus, como ele é bonito. Mesmo enquanto é um babaca.

Sinto meu rosto arder. Desvio os olhos depressa, sem saber ao certo como sair dessa. Todos os encontros que tive com ele foram humilhantes, e não sei ao certo se a culpa foi dele ou minha.

Deve ter sido minha, por *me* deixar constranger por ele. Quando a gente não dá a mínima para a presença de alguém, não há como se constranger. Isso deve significar que lá no fundo, em algum lugar, estou me importando com o que ele pensa.

Samson se afasta da amurada e endireita o corpo. Sou alta para uma garota. Um metro e setenta e sete. Mesmo assim, ele avulta por sobre mim. Deve ter pelo menos um e noventa.

— Amigos, então — diz ele, enfiando as mãos nos bolsos.

Sem querer, dou uma risada seca.

— Gente tipo você não faz amizade com gente tipo eu.

Ele inclina um pouco a cabeça.

— Isso é meio presunçoso.

— Falou o cara que achou que eu fosse uma desabrigada.

— Você comeu pão do chão.

— Eu estava com fome. Você é rico, nunca vai entender.

Ele estreita os olhos um pouco, então torna a encarar o oceano. Seu olhar é tão intenso, que parece que o mar está falando com ele. Dando respostas silenciosas a suas perguntas silenciosas.

Por fim, Samson desvia os olhos, tanto de mim quanto da água.

— Vou voltar para o carro.

Eu o vejo descer as escadas e desaparecer.

Não sei por que estou tão na defensiva em relação a ele. Afinal de contas, se ele realmente pensou que eu fosse uma desabrigada, não ignorou esse fato. Ele me ofereceu dinheiro. Dentro daquele corpo deve haver uma alma.

Talvez a desalmada nessa história seja *eu*.

Seis

Dizer que fiquei aliviada quando Marcos e Samson se separaram de nós ao chegarmos na loja é pouco. Faz pouquíssimas horas que cheguei no Texas, e durante quase todo esse tempo estive na presença de Samson.

— Do que mais você precisa, além de roupas? — pergunta Sara, enquanto caminhamos pela seção de perfumaria.

— De tudo, basicamente. Xampu, condicionador, desodorante, escova e pasta de dentes. Tudo que eu roubava dos carrinhos de limpeza aos sábados.

Sara faz uma pausa e me encara.

— Isso foi piada? Ainda não conheço muito bem o seu estilo de humor.

Faço que não.

— A gente não tinha grana para comprar essas coisas. — Não sei por que estou sendo tão honesta com ela. — O pobre às vezes tem que ser criativo.

Viro no próximo corredor, e Sara leva um instante para vir atrás de mim.

— Mas o Brian não pagava pensão?

— Minha mãe era dependente química. Eu nunca vi um centavo do dinheiro dele.

Sara agora caminha ao meu lado. Tento não olhar para ela, pois sinto que minha verdade está dilacerando sua inocência. Mas talvez ela precise de uma dose de realidade.

— Você já contou isso ao seu pai?

— Não. Ele não vê a minha mãe desde que eu tinha quatro anos. Naquela época ela não era usuária.

— Pois devia ter contado. Ele teria feito alguma coisa.

Coloco um frasco de desodorante no carrinho.

— Nunca senti que fosse meu dever informar a ele sobre a minha condição de vida. Um pai devia ter mais ciência do que se passa na vida de um filho.

Vejo que meu comentário aborrece Sara. Está óbvio que ela tem uma visão diferente da minha a respeito do meu pai, então talvez essa simples sementinha já baste para que ela comece a enxergar para além de sua casinha protegida na beira da praia.

— Vamos olhar as roupas — digo, mudando de assunto. Em silêncio, ela vai comigo até a seção de vestuário. Pego várias coisas, mas na verdade não sei se alguma roupa vai me servir. Nós vamos até os provadores.

— Você vai precisar de um biquíni também — diz Sara. — De uns dois, na verdade. A gente passa quase todos os dias na praia.

A área de roupas de banho fica perto dos provadores, então pego uns dois biquínis e vou até uma cabine, com todas as roupas.

— Vai experimentando e saindo, que eu quero ver como está ficando tudo.

É isso o que acontece quando as garotas vão às compras? Elas posam umas para as outras?

Visto o biquíni primeiro. A parte de cima fica meio larga, mas já ouvi dizer que os peitos são a primeira coisa que aumenta quando a gente ganha peso, e tenho certeza de que vou ganhar peso neste verão. Saio da cabine e me olho no espelho. Sara está sentada num banco, atenta ao celular. Ao erguer a cabeça, ela arregala os olhos.

— Uau. Dá até para pegar um tamanho menor.

Faço que não.

— Não, quero ganhar peso durante o verão.

— Por quê? Eu mataria para ter um corpo igual ao seu.

Que ódio desse comentário.

Ela me encara, fazendo biquinho. E imagino que ela esteja comparando nossos corpos, apontando falhas em si mesma.

— As suas coxas nem se encostam — sussurra ela, quase desejosa. — Eu sempre quis ter um vão entre as coxas.

Meneio a cabeça e retorno à cabine. Visto o segundo biquíni e ponho um short jeans por cima, para ver se cabe. Quando saio da cabine, Sara solta um grunhido.

— Meu Deus, tudo fica bem em você. — Ela se levanta e se posiciona ao meu lado. Olha nossos reflexos no espelho. Ela também é bastante alta, talvez uns cinco centímetros mais baixa que eu. Sara se vira de lado e põe a mão por sobre a blusa, bem em cima do estômago. — Quanto você pesa?

— Não sei.

Sei, sim, mas dizer meu peso a ela só a levaria ainda mais a perseguir um objetivo totalmente desnecessário.

Ela suspira, meio frustrada. Senta-se outra vez no banco da área dos provadores.

— Ainda faltam uns nove quilos para eu atingir minha meta de verão. Preciso me esforçar mais. Qual é o seu segredo?

Meu segredo?

Solto uma risada e olho novamente meu reflexo no espelho, correndo a mão de leve por minha barriga côncava.

— Passei fome quase a vida inteira. Nem todo mundo tem comida em casa o tempo todo. — Olho diretamente para Sara, que me encara com uma expressão indecifrável.

Seu olhar vagueia, então pousa no celular. Ela pigarreia.

— É verdade isso?

— É.

Ela dá uma mordida na bochecha e diz:

— Então por que é que você mal comeu hoje?

— Porque tive as piores vinte e quatro horas da minha vida e estava sentada numa mesa com cinco pessoas desconhecidas, numa casa onde nunca tinha colocado os pés, num estado onde nunca estive. Até gente faminta perde o apetite às vezes.

Sara não me olha. Não sei se estou deixando a garota desconfortável com minha franqueza, ou se ela está enfrentando o fato de termos vidas tão diferentes. Quero mencionar o que percebi mais cedo, no jantar — que ela só comia quando eu comia. Mas não menciono. Sinto que já a machuquei o suficiente no dia de hoje, e nós duas acabamos de nos conhecer.

— Você está com fome? — pergunto. — Porque eu estou morrendo.

Ela assente, com um sorrisinho, e pela primeira vez, sinto que fazemos uma conexão.

— Estou com tanta fome que estou quase passando mal.

Solto uma risada.

— Então somos duas.

Retorno ao provador e visto minhas roupas. Quando saio, pego a mão de Sara e a levanto do banco.

— Vamos. — Largo as roupas no carrinho e vou rumando para a área de alimentação.

— Aonde é que a gente vai?

— Vamos comer.

Caminhamos até a parte dos pães. Paro o carrinho em frente a uns pãezinhos e bolos embalados.

— Qual é o seu preferido?

Sara aponta para um saquinho de donuts de chocolate.

— Aqueles ali.

Pego o saquinho da prateleira e o abro. Pego um donut, enfio na boca e entrego o saco a ela.

— Vamos precisar de leite também — digo, com a boca cheia.

Sara me olha como se eu fosse louca, mas me acompanha até a seção de laticínios. Pego duas caixinhas de leite achocolatado e aponto para uma área perto dos ovos. Vou empurrando o carrinho, então me sento e me recosto no comprido refrigerador horizontal que abriga os ovos.

— Senta aí — digo a ela.

Ela olha em volta um instante, então se abaixa bem devagar e se acomoda no chão, ao meu lado. Entrego a ela uma das caixinhas de achocolatado.

Abro a minha, dou uma golada e apanho outro donut.

— Você é doida — diz Sara, baixinho, mas pega um donut também.

Dou de ombros.

— Existe uma linha tênue entre a fome e a loucura.

Ela dá um gole no achocolatado e inclina a cabeça no refrigerador.

— Meu Deus. Isso é o paraíso.

Ela espicha as pernas, e nós ficamos ali sentadas durante um tempo, em silêncio, comendo donuts e vendo os olhares de estranheza dos outros clientes.

— Desculpa se eu falei alguma coisa ofensiva sobre o seu peso — diz Sara, por fim.

— Não me ofendeu. Só não gostei de te ver se comparando a mim.

— É difícil não comparar. E não ajuda o fato de que estou passando o verão na praia. Eu me comparo com todas as garotas de biquíni.

— Pois não devia. Mas eu entendo. Só que é estranho, não é? Por que as pessoas julgam as outras com base no grau de proximidade entre a pele e os ossos? — Enfio outro donut na boca, para me calar.

— *Amém* — murmura Sara, dando outra golada no achocolatado.

Um funcionário passa por nós e para ao nos ver comendo no chão.

— A gente vai pagar — digo, abanando a mão para ele. O homem balança a cabeça e sai andando.

Passamos mais alguns minutos em silêncio, então Sara diz:

— Eu estava nervosa de te conhecer. Com medo de que você me odiasse.

Dou uma risada.

— Até o dia de hoje eu nem sabia que você existia.

Parece que meu comentário magoa Sara.

— O seu pai nunca falou de mim?

Faço que não.

— Não é que ele estivesse tentando esconder o fato de que você existia. É só que... a gente não tem relação. Nenhuma. Desde que ele se casou a gente mal se fala. Na verdade eu até esqueci que ele era casado.

Sara parece prestes a dizer algo, mas é interrompida.

— Tudo bem com vocês? — pergunta Marcos.

Olhamos para cima e vemos Samson e Marcos nos encarando.

Sara ergue a caixinha de achocolatado.

— A Beyah falou para eu deixar de paranoia com meu corpo e me fez comer besteira.

Marcos dá uma risada e estende a mão para pegar um donut.

— A Beyah tem razão. Você é perfeita.

Samson está me encarando. Ele nunca sorri como Marcos. Marcos parece estar sempre sorrindo.

Sara se levanta do chão e me puxa também.

— Vamos indo.

Sete

Deixamos as compras todas no porta-malas, menos o celular pré-pago. Estou tentando descobrir como configurar, mas na escuridão do carro está difícil ler as instruções. Não sei nem como carregar o telefone.

— Quer ajuda? — pergunta Samson, ao ver meu esforço.

Olho para ele e vejo sua mão estendida. Entrego a caixa a ele, que usa a luz de seu próprio celular para enxergar as instruções.

Ele ainda está configurando tudo quando Marcos para o carro na balsa.

— Você vem? — pergunta Sara, abrindo a porta.

Aponto para o celular nas mãos de Samson.

— Daqui a pouquinho. Ele está configurando o meu telefone.

Sara abre um sorriso e fecha a porta, como se isso possa de alguma forma ensejar um romance de verão. Odeio ver que ela tem esse objetivo. Realmente não tenho o menor interesse em alguém que tem tão pouco interesse em mim.

Samson precisa digitar um número para finalizar a configuração, mas o celular avisa que é preciso aguardar dois minutos para ativação do sistema.

Dois minutos não parece tanto assim, mas me sinto adentrar a eternidade. Olho pela janela, tentando ignorar a tensão que preenche o espaço entre nós.

É de um desconforto tão incrível, que me pego esperando que ele quebre o silêncio depois de apenas dez segundos.

Depois de vinte segundos, começo a ficar nervosa, então solto a única coisa que consigo pensar em dizer:

— Por que você estava tirando fotos de mim hoje na balsa?

Olho para ele, que está com um cotovelo apoiado na junção entre a porta e a janela do carro. Está correndo os dedos de leve no lábio de baixo, mas afasta a mão quando vê que estou olhando. Ele cerra o punho e dá uma batidinha na janela.

— Por causa do jeito como você olhava o oceano.

A resposta se enrosca em minha espinha feito uma serpente.

— Como é que eu estava olhando?

— Como se fosse a primeira vez que você via o mar.

Eu me ajeito no banco, subitamente desconfortável com a forma como as palavras dele me envolvem feito seda.

— Você chegou a ver? — pergunta ele.

— Ver o quê?

— As fotos.

Balanço a cabeça.

— Bom. Quando vir, fique à vontade para apagar o que não quiser, mas eu gostaria muito de receber de volta o cartão de memória. Tem umas fotos lá que quero guardar.

Balanço a cabeça.

— O que mais você fotografa? Além de garotas em balsas?

Ele abre um sorrisinho.

— A natureza, basicamente. O oceano. O nascer do sol. O pôr do sol.

Penso no crepúsculo que vi mais cedo e em como ele pode ter me fotografado diante do sol. Vou ver se Sara me empresta um computador, para que eu possa ver o conteúdo do cartão de memória. Agora fiquei curiosa.

— O pôr do sol estava lindo hoje.

— Espera só para ver o sol nascendo da sua sacada.

— Ah, mas não acordo tão cedo assim — respondo, com uma risada.

O celular avisa que a configuração foi concluída, e Samson olha o aparelho.

— Quer que eu anote o número do pessoal todo? — Ele busca o contato de Sara em seu próprio celular.

— Pode ser.

Ele adiciona o número de Sara. Depois o de Marcos. E o dele próprio. Mexe em algumas outras coisas e por fim me entrega o aparelho.

— Precisa de um tutorial?

Faço que não.

— Um amigo lá perto de casa tinha um igual a esse. Eu me viro.

— Onde é "lá perto de casa"?

É uma pergunta simples, mas que faz minha pele arder. É uma pergunta que fazemos a alguém que queremos conhecer melhor.

Solto um pigarro.

— Kentucky — respondo. — E você, de onde é?

Ele pousa os olhos em mim por um instante, em silêncio. Então desvia o olhar e agarra a maçaneta da porta, como se arrependido de ter iniciado uma conversa comigo.

— Vou pegar um pouco de ar fresco — diz, abrindo a porta. Então a fecha e vai se afastando do carro.

Eu deveria ficar ofendida com essa reação estranha, mas não fico. Na verdade, fico aliviada. Quero que ele sinta por mim o mesmo desinteresse que sinto por ele.

Ou o mesmo desinteresse que estou *tentando* sentir por ele.

Olho meu celular e adiciono o número de Natalie. Ela era uma das poucas amigas que eu tinha em minha cidade, e desde ontem à noite ando querendo falar com ela. Tenho certeza de que a mãe dela contou sobre a morte da minha, e ela deve estar doente de preocupação por não saber onde estou. Tem sido difícil mantermos contato desde que ela foi para a faculdade, já que não tenho celular. Esse é um fato que contribui para que eu não tenha muitos amigos. Os excluídos digitalmente têm muita dificuldade em manter contato com outras pessoas.

Saio do carro e vou até um cantinho vazio da balsa, para fazer a ligação. Olho a água, digito o número dela e aguardo o toque.

— Alô?

Ao ouvir a voz dela, solto um suspiro de alívio. Enfim um som familiar.

— Oi.

— Beyah? Puta merda, eu estava aqui morrendo de preocupação. Soube o que aconteceu, lamento demais.

Sua voz está altíssima. Tento descobrir como tirar o som do alto-falante, mas a tela só exibe uns números. Olho em volta, mas não há ninguém por perto, então só abafo o telefone para que a ligação não incomode ninguém nos arredores.

— Beyah? Alô?

— Estou aqui, desculpa.

— Onde é que você está?

— No Texas.

— E o que você está fazendo no Texas?

— Meu pai se mudou para cá. Pensei em passar o verão com ele. Como é Nova York?

— Diferente — responde ela. — Mas de um jeito bom. — Ela faz uma pausa, então diz: — Meu Deus, ainda não acredito que a Janean morreu. Tem certeza de que você está bem?

— Estou. Tive uma bela crise de choro, mas tipo... sei lá. Talvez eu esteja com defeito.

— Que seja. Ela era a pior mãe que eu já conheci.

É por isso que gosto de Natalie. Ela fala o que pensa. Nem todo mundo é tão expressivo assim.

— E o seu pai? — pergunta ela. — Não fazia um tempo que você não o via? Está estranho?

— Está. Talvez esteja até pior agora, que sou adulta. Mas ele mora de frente para a praia, então é uma grande vantagem. Mas está casado. E tem uma enteada.

— Que legal a casa na praia, mas, eita... uma enteada? Ela tem a sua idade?

— Um ano mais velha, mais ou menos. Ela se chama Sara.

— Nome de loira bonita.

— Ela é, mesmo.

— Você gostou dela?

Paro e penso um instante.

— Ainda não sei bem o que pensar. Acho que talvez ela seja uma mocinha de vestiário.

— Eca. Essas são as piores. Algum gatinho, pelo menos?

Bem na hora em que Natalie faz a pergunta, algo me chama atenção, e espio com o canto do olho. Viro a cabeça e vejo Samson caminhando em minha direção. Está me encarando, como se tivesse ouvido o final da conversa. Cerro a mandíbula.

— Não. Nenhum gatinho. Escuta, preciso ir. Salva meu número aí.

— Beleza, pode deixar.

Encerro a ligação e seguro o celular com força. Juro por Deus, esse cara só aparece nas piores horas.

Ele avança mais uns passos e para ao meu lado, junto à amurada. Estreita os olhos para mim, de um jeito curioso.

— O que é uma mocinha de vestiário?

Que ódio por ele ter ouvido isso. Gosto de verdade da Sara. Não sei por que falei isso a Natalie.

Solto um suspiro, viro o corpo e me recosto na amurada.

— É como eu chamava as meninas malvadas da escola.

Samson assente, como se processasse minha resposta.

— Sabe... quando a Sara soube que você estava vindo, ela se mudou para o quarto de hóspedes. Queria que você ficasse com o melhor quarto.

Ele se afasta da amurada e ruma de volta para o carro.

Eu me viro, pressiono as mãos no rosto e solto um grunhido.

Nunca fui tão babaca na frente de uma única pessoa, e o pior é que só conheço esse cara há menos de dois dias.

Oito

Quando chegamos em casa, já está tarde. Guardo todas as minhas coisas novas. Essas últimas vinte e quatro horas foram torturantes, para dizer o mínimo. Estou exaurida. Acho até que o luto está começando a chegar. E por mais que eu e Sara tenhamos dividido um saco inteiro de donuts de chocolate, ainda estou com fome.

Vou até a cozinha e encontro meu pai sentado à mesa, com um laptop à sua frente e vários livros espalhados sobre a mesa. Ao me ouvir, ele ergue os olhos.

— Oi — diz ele, empertigando-se na cadeira.

— Oi. — Aponto para a despensa. — Só vim pegar um lanchinho. — Abro a porta da despensa e pego um saco de batatinhas. Fecho a porta, na total intenção de retornar sorrateira para o quarto, mas meu pai tem outros planos.

Beyah — diz ele, assim que alcanço o primeiro degrau. — Você tem um segundo?

Meneio a cabeça com relutância. Retorno à mesa e me sento à frente dele. Puxo um joelho para cima, tentando agir com displicência. Ele se recosta na cadeira e esfrega a mandíbula, como se o que tivesse a dizer fosse ser meio desagradável.

Será que ele sabe da minha mãe? Não sei se há pessoas além de mim que sejam um ponto de conexão entre os dois, então não sei o que ele pode ter descoberto.

— Me desculpe por não ter ido à sua formatura.

Ah. O assunto é sobre ele. Eu o encaro por um instante, então abro o saco de batatinhas. Dou de ombros.

— Tudo bem. Viagem longa para alguém com a perna quebrada.

Ele aperta os lábios, inclina o corpo para a frente e apoia os cotovelos sobre a mesa.

— Em relação a isso...

— Não ligo, pai. De verdade. Todo mundo mente para escapar de coisas que não quer fazer.

— Não é que eu não quisesse estar lá. É só que... eu achava que *você* não queria que eu fosse.

— Por que é que eu não ia querer que você fosse?

— É só que tenho a impressão de que você passou os dois últimos anos me evitando. E não te culpo. Sinto que não venho sendo um pai muito bom para você.

Olho o saco de batatas e dou uma sacudida no salgadinho.

— Não vem sendo, mesmo. — Como outra batatinha, como se não tivesse acabado de proferir o pior insulto que um filho poderia dizer a um pai.

Ele franze o cenho e abre a boca para responder, mas Sara desponta na escada e entra na cozinha, com muita energia para essa hora da noite.

— Beyah, vai botar o biquíni, a gente vai à praia.

Meu pai parece aliviado com a interrupção. Volta a atenção ao computador. Eu me levanto e levo outra batatinha à boca.

— O que tem na praia?

Sara ri.

— Tem *a praia*. É só disso que a gente precisa.

Ela tornou a vestir o short jeans e a parte de cima do biquíni.

— Estou muito cansada — respondo.

Ela revira os olhos.

— Só uma horinha, depois você dorme.

●

Quando chegamos às dunas, eu murcho. Esperava que houvesse mais gente, de modo que eu passasse despercebida, mas parece que o povo que estava na praia mais cedo dispersou e os únicos que sobraram foram Samson e Marcos. Além de umas pessoas nadando.

Marcos está sentado junto à fogueira, mas Samson está sozinho a vários metros de distância, encarando o oceano escuro. Sei que ele ouve nossa aproximação, mas não se vira para olhar. Ou está perdido nos próprios pensamentos, ou se esforçando para me ignorar.

Se o verão todo for desse jeito — com ele sempre por perto —, vou ter que dar um jeito de ficar à vontade na presença dele.

Há seis cadeiras abertas em torno da fogueira, mas em duas delas há toalhas jogadas e cervejas no apoio do braço; devem estar ocupadas. Sara está sentada ao lado de Marcos, então escolho uma das duas cadeiras restantes.

Sara olha para as duas pessoas nadando.

— Aqueles dois não são a Cadence e o Beau?

— Sim — responde Marcos. — Acho que ela vai embora amanhã.

Sara revira os olhos.

— Mal posso esperar. Queria que ela levasse o Beau também.

Não sei quem são Beau e Cadence, mas parece que Sara e Marcos não são muito fãs.

Tento não olhar Samson, mas é difícil. Ele está a cerca de três metros de distância, sentado, abraçado aos joelhos, olhando as ondas arrebentarem na areia. Odeio perceber que desejo saber o que ele está pensando, mas ele tem que estar pensando em alguma coisa. É isso o que acontece quando alguém encara o oceano. Pensamentos. Vários.

— Vamos dar um mergulho — diz Sara, levantando-se e tirando o short. Ela olha para mim. — Quer vir?

Eu balanço a cabeça.

— Já tomei banho agora à noite.

Sara agarra a mão de Marcos e o força a se levantar da cadeira. Ele a pega no colo e corre em direção à água. O grito agudo de Sara tira Samson do transe. Ele se levanta e bate a areia do short. Dá meia volta para retornar à fogueira, mas percebo que ele para ao ver que estou sozinha.

Cravo o olhar em Sara e Marcos, simplesmente porque não sei para o que mais olhar. Com certeza não quero olhar para Samson enquanto ele caminha até mim. Ainda estou com vergonha por ele ter ouvido uma parte da minha conversa mais cedo. Não quero que ele pense que odeio Sara, pois não odeio. Só não a conheço muito bem. Mas o que ele ouviu deve ter parecido pior do que era de verdade.

Em silêncio, ele se senta e encara a fogueira, sem fazer o menor esforço para falar comigo. Olho em volta, vendo o enorme espaço que há nesta praia, e fico pensando como posso estar me sentindo tão sufocada.

Antes de abrir a boca, inspiro o ar lentamente e solto com cuidado.

— Não falei a sério mais cedo. Sobre a Sara.

Samson me encara, com o semblante estoico.

— Que bom — diz ele, apenas.

Balanço a cabeça e desvio o olhar, mas não antes que ele me veja revirar os olhos com a resposta. Não sei por que, mas mesmo quando está defendendo os amigos ele parece um babaca.

— O que foi? — pergunta ele.

— Nada. — Reclino o corpo na cadeira e olho o céu. — *Tudo* — sussurro para mim mesma.

Samson pega um graveto na areia, perto de sua cadeira. Começa a cutucar o fogo, mas não diz nada. Viro o rosto para a direita e olho a fileira de casas ao longo da praia. A de Samson é de longe a mais bacana de todas. A mais moderna. Toda branca, com detalhes pretos, quadrada, com muitas vidraças. Mas parece fria em comparação à casa de Alana e meu pai.

Também parece solitária, como se ele fosse o único morador dali.

— Você mora sozinho na sua casa?

— Não considero minha casa, na verdade, mas sim, sou a única pessoa que mora lá.

— E cadê os seus pais?

— Não estão aqui — responde ele.

As respostas curtas não se devem à timidez. Ele é tudo, menos tímido. Será que as conversas dele são assim com todo mundo ou só comigo?

— Você está na faculdade? — pergunto.

Ele balança a cabeça.

— Tirei um ano sabático.

Solto uma risada entre os dentes. Não é minha intenção, mas essa resposta é tão descolada de minha realidade.

Ele ergue a sobrancelha, perguntando em silêncio por que estou rindo da resposta.

— Para quem é pobre, ficar um ano sem estudar depois de terminar a escola é desperdiçar o próprio futuro — respondo. — Mas, se a pessoa é rica e passa um ano sem estudar, é sofisticado. Dão até um nome chique.

Ele me encara um instante, mas não fala nada. Eu queria abrir a cabeça dele e desvendar seus pensamentos. Por outro lado, talvez seus pensamentos não me agradem.

— Qual é o objetivo de um ano sabático, para começo de conversa? — pergunto.

— Supostamente, é para a pessoa *se encontrar* — responde ele, com uma ponta de sarcasmo.

— E você está conseguindo? Se encontrar?

— Nunca estive perdido — responde ele, sem rodeios. — Não passei o ano sabático fazendo mochilão pela Europa. Passei o ano cuidando das casas de aluguel do meu pai. Não foi muito sofisticado.

Parece que ele está meio magoado com isso, mas eu daria qualquer coisa para poder viver numa bela casa de praia e ainda ser paga.

— Quantas casas a sua família tem aqui?

— Cinco.

— Você mora em *cinco* casas de praia?

— Não em todas ao mesmo tempo.

Acho que ele sorriu um pouquinho, talvez. Não tenho certeza. Talvez tenha sido a sombra da fogueira.

Nossas vidas são tão incrivelmente diferentes e, mesmo assim, cá estamos nós, sentados na mesma praia, diante do mesmo fogo. Tentando levar uma conversa que não comprove o tamanho do abismo que nos separa. Mas esse abismo é tão grande, que não estamos nem no mesmo universo.

Eu queria poder passar um dia na mente dele. Na mente de qualquer pessoa rica. Como é que eles veem o mundo? Como é que Samson me enxerga? Qual é a preocupação dos ricos, já que eles não têm que se preocupar com dinheiro?

— Como é ser rico? — pergunto a ele.

— Não deve ser muito diferente de ser pobre. Só que com mais dinheiro.

A resposta é tão ridícula, que nem me dou ao trabalho de rir.

— Só um rico diria isso.

Ele torna a largar o graveto na areia e recosta outra vez na cadeira. Vira a cabeça e faz contato visual comigo.

— E ser pobre, como é?

Sinto um bolo no estômago quando ele devolve minha própria pergunta. Dou um suspiro, refletindo se devo ser honesta.

Devo, sim. Já menti demais nas últimas vinte e quatro horas, e daqui a pouco o carma vai cobrar seu preço. Volto a atenção à fogueira à nossa frente enquanto respondo:

— A gente não recebia o auxílio-alimentação do governo porque minha mãe nunca estava sóbria o suficiente para ir buscar. A gente também não tinha carro. Certas crianças crescem sem ter que se preocupar com comida, há famílias que, por diversos motivos, dependem da assistência do governo e há as crianças como eu. Totalmente negligenciadas. Que aprendem a fazer de tudo para sobreviver. O tipo de criança que não pensa duas vezes antes de comer uma fatia de pão de forma largada no deque de uma balsa, porque isso é normal. É *o jantar*.

Samson me encara, com a mandíbula tensa. Um longo silêncio se faz entre nós. Ele quase parece culpado, mas desvia os olhos de mim e volta a atenção às chamas.

— Me desculpe por dizer que não era tão diferente assim. Foi um comentário muito raso.

— Você não é raso — devolvo, baixinho. — Gente rasa não olha o oceano de um jeito tão profundo quanto você.

Na mesma hora, Samson me encara outra vez. Seus olhos mudaram um pouco... estão mais estreitos. Mais sombrios.

— Porra — diz ele, correndo a mão pelo rosto.

Não sei por que ele diz isso, mas sinto um arrepio. Parece que ele percebeu algo a meu respeito.

Não consigo perguntar, pois vejo um cara e uma garota saindo da água e caminhando em nossa direção. Cadence e Beau.

Quando eles se aproximam, percebo que é a garota que Samson estava beijando mais cedo, na cozinha de casa. Ela vem caminhando, com os olhos cravados em mim. Quanto mais perto chega, mais bonita fica. Ela não se senta na cadeira; vai direto para o colo de Samson. Ela me encara, como se esperasse uma reação minha por ter feito de Samson sua cadeira particular, mas sei esconder meus sentimentos muito bem.

Por que estou com sentimentos, para começo de conversa?

— Quem é você? — pergunta Cadence a mim.

— Beyah. Irmã postiça da Sara.

Pelo jeito como ela me analisa, não tenho dúvida de que estou diante de uma mocinha de vestiário. Ela enrosca os braços em Samson, como se ele fosse sua propriedade. Samson parece apenas entediado, ou perdido em pensamentos. Beau, que estava na água com Cadence, pega uma cerveja e se senta ao meu lado.

Começa encarando meus pés, então vai subindo pelo corpo todo, até chegar aos meus olhos.

— Eu sou o Beau — diz ele, escancarando um sorriso ambíguo e estendendo a mão.

Eu o cumprimento, enquanto Sara vem retornando do mergulho com Marcos. Ela solta um grunhido ao ver Beau me dando atenção.

— A Beyah está noiva — diz ela. — Nem perca seu tempo.

Beau olha minha mão.

— Não estou vendo aliança.

— É que o diamante é tão enorme, que fica muito pesado para ela usar o dia todo.

Beau se inclina mais para perto e me encara, com um sorriso forçado.

— Ela está mentindo porque me odeia.

— Estou vendo — respondo.

— De onde você é?

— Kentucky.

— Quanto tempo vai ficar?

— O verão todo, provavelmente.

Ele escancara o sorriso.

— Ótimo. Eu também. Se ficar entediada, eu moro logo... — Ele ergue a mão para apontar para sua casa, seja lá onde fique, mas para de falar, pois Sara agora está parada à nossa frente.

— Vem, Beyah — diz ela, agarrando minha mão. — Vamos para casa.

Fico aliviada. Não queria nem estar ali, para começar.

Eu me levanto. Beau revira os olhos e ergue a mão, num gesto de derrota.

— Você sempre cortando minha onda, Sara.

Sara se inclina e dá um beijo de despedida em Marcos. Olho para Samson. Só consigo enxergar sua mão pressionando a coxa de Cadence. Começo a caminhar com Sara, mas um instante antes Samson faz contato visual comigo. Seu olhar é tão intenso, que sinto um aperto no peito. Desvio o olhar e acompanho Sara, sem olhar para trás.

— Qual é a do Beau? — pergunto, enquanto caminhamos de volta à casa.

— Ele é um sem noção, de todas as formas imagináveis. Não dê atenção a ele, por favor, é a última coisa que ele merece.

É difícil dar atenção a outra pessoa quando Samson está na minha frente.

Sara e eu cruzamos as dunas. Meu corpo inteiro quer dar uma última olhada para trás, para ele, mas não olho.

— E a garota? Cadence?

— Não esquenta — responde Sara. — Ela vai embora amanhã, e o Samson vai ficar livre.

Dou uma risada.

— Não estou na fila.

— Acho que assim é melhor — diz Sara, quando chegamos à casa dela. — O Samson vai para a Academia da Força Aérea no fim do verão. Por mais que eu tenha a esperança de juntar vocês dois, seria uma droga se você se apaixonasse por ele logo antes de ele ir embora.

Ao ouvir isso, paraliso no degrau da escada, mas Sara não percebe, pois está à minha frente. A informação me pega de surpresa. Ele não tinha mencionado o que faria ao fim do ano sabático. Não sei por que, mas não esperava que fosse algo de cunho militar.

Quando chegamos à casa, todas as luzes estão apagadas.

— Quer ficar acordada e ver um filme?

— Estou exausta. Amanhã à noite, pode ser?

Ela se senta no sofá e pega o controle remoto. Inclina a cabeça para trás e me olha de cabeça para baixo.

— Fico feliz por você estar aqui, Beyah.

Ela liga a tevê e desvia a atenção de mim, mas suas palavras me fazem sorrir.

Acredito mesmo que ela esteja feliz com minha presença. É uma sensação boa. Não é sempre que sinto que minha presença é apreciada. Ou sequer notada.

Vou para o meu quarto, fecho a porta e tranco.

Vou até a sacada e abro a porta, querendo escutar o som do oceano enquanto durmo. Mas também quero ver o que Samson está fazendo.

Marcos e Beau ainda estão junto da fogueira. Cadence vai se afastando do grupo, caminhando na direção oposta à da casa de Samson.

Samson vai andando pelo cruzamento das dunas, em direção a sua casa. Sozinho.

Por que isso me alegra?

Não quero que ele me veja aqui em cima, então retorno ao quarto e fecho a porta da sacada.

Antes de me deitar, tiro a Madre Teresa do saco plástico e apoio o quadro na penteadeira. Parece super deslocado neste quarto chique, o que me deixa ainda mais feliz por tê-lo trazido. Preciso de um pedacinho de casa para me lembrar de que este quarto, esta casa e esta cidade não são a minha realidade.

Nove

Caramba, que barulho é esse?

Ponho a mão sobre o ouvido, confusa com o barulho que me força a acordar de um sono perfeito e profundo. Está vindo do outro lado do quarto. Abro os olhos, ergo a cabeça do travesseiro, e o som fica mais alto. Olho para fora e mal vejo luz. O horizonte está cinzento, como se o mundo ainda se preparasse para acordar.

Solto um grunhido e afasto as cobertas, para localizar a fonte da barulheira. Parece vir da penteadeira, então me aproximo.

É meu celular novo. Esfrego os olhos sonolentos e olho a tela. São 5h59 da manhã.

Um alarme foi ativado em meu telefone. Com uma mensagem: *Vá ver o sol nascer.*

Só isso.

Desligo o alarme, e o quarto fica outra vez em silêncio. Olho a sacada trás de mim.

Samson.

É bom que valha a pena.

Pego o edredom da cama e envolvo meu corpo. Vou até a sacada e olho a de Samson. Está vazia.

Acomodo-me numa cadeira e puxo o edredom até o queixo. Encaro o horizonte escuro. Ao leste, vejo uma diminuta faixa de sol despontando no oceano. Ao norte, um e outro relâmpago irrompem no céu sombrio. Parece que há uma tempestade a caminho, ameaçando extinguir a luz.

Sentada na sacada, olho o sol, que ilumina lentamente a península. Escuto o som das ondas arrebentando na praia. Trovões ribombam a distância, e as gaivotas começam a chiar por perto.

Passo vários minutos num completo transe, enquanto a brisa se intensifica. Bem devagar, o brilho do sol que acaba de nascer é ofuscado pela tempestade que se aproxima. O céu traga cada nuance de cor que tentava despontar, e depois de um tempo tudo assume um opaco tom de cinza.

Nessa hora, a chuva começa. Estou protegida pelo teto da sacada e o vento não está muito forte, então continuo do lado de fora, observando um dia que começou promissor há não mais de quinze minutos pouco a pouco se transformar em trevas.

Fico pensando se Samson sabia que uma tempestade se seguiria à alvorada. Olho a casa dele e o vejo parado junto à porta, apoiado no batente, segurando uma xícara de café. Ele não está olhando a chuva, nem o céu, nem o oceano.

Está olhando para mim.

Vê-lo me olhar causa em mim uma confusão que não quero sentir. Eu o encaro de volta por um instante, imaginando se ele acorda todos os dias para ver o sol nascer ou se só queria saber o que eu faria com o alarme programado em meu celular.

Talvez ele de fato aprecie a alvorada. Será que é um dos poucos que dá valor a essa vista?

Penso que talvez haja uma chance de eu ter me enganado a respeito dele. Talvez eu o tenha julgado um pouco cedo demais.

Mas, por outro lado, e daí se eu estiver errada? As coisas entre nós dois são estranhas, e não vejo isso mudando a não ser que um de nós sofra um transplante de personalidade.

Desvio o olhar, volto para o quarto e me aconchego na cama.

Acho que vou ficar por aqui.

Dez

Passei a maior parte dos três últimos dias no quarto. A chuva, somada à semana que tive, me deixou sem a menor vontade de encarar o mundo. Além do mais, este quarto está se tornando meu lugar favorito, pois me sinto segura aqui, rodeada por estas quatro paredes. Tenho uma vista livre do oceano e uma televisão que finalmente aprendi a operar, além de meu próprio banheiro.

Eu realmente poderia ficar neste quarto pelo resto de minha estada aqui e ser muito feliz.

A questão são as *outras* pessoas que moram nesta casa.

Meu pai veio inúmeras vezes conferir como estou. Eu disse a ele que estava com dor de cabeça e garganta, que doía para falar, e agora ele sobe toda hora para saber de mim.

Sara fica me trazendo coisas. Água, comida, remédios desnecessários. Ontem, num dado momento, ela se enfiou na cama comigo e passou uma hora vendo Netflix, antes de sair com Marcos. Não conversamos muito, mas por mais estranho que pareça, a companhia dela não me incomodou.

Ela tem uma energia boa. Às vezes me sinto um buraco negro perto dela. Como se eu tragasse toda a vida que há nela apenas por estar em sua inocente presença.

Ando observando a rotina de Samson mais do que gostaria de admitir. Não sei por que tenho tanta curiosidade em relação a ele. Mas a rotina dele me intriga.

Mantive o alarme do celular, pois parece que o nascer do sol virou uma coisa nossa. Toda manhã ele surge na sacada. Assistimos ao dia clarear, sozinhos, porém juntos. Toda vez que me viro de volta para o quarto, cruzamos olhares por um breve instante. Ele, no entanto, não fala comigo.

Ou ele não é uma pessoa matutina, ou prefere apreciar o sol nascer em silêncio. Seja como for, o momento parece íntimo, de certa forma. Como se tivéssemos um encontro secreto e silencioso todos os dias.

Quando acaba, eu costumo voltar para a cama, mas Samson sempre sai de casa. Não sei aonde ele vai tão cedo de manhã, mas ele sai quase todo dia. Quando volta, já é noite e a casa está sempre escura. Ele só acende a luz do cômodo em que está, e apaga assim que sai.

Ele parece já viver uma vida de precisão militar. Pelo que vejo de minha janela, a casa é impecável. Isso me faz pensar no tipo de pai que ele tem. Se vai virar militar, talvez tenha crescido num ambiente militar. Talvez por isso pareça tão controlado e mantenha a casa tão limpa.

Se gasto tanto tempo pensando nisso, estou mesmo precisando de alguma ocupação para minha cabeça. Talvez eu deva arrumar um emprego. Não posso ficar enfiada neste quarto para sempre.

Eu poderia comprar uma bola de vôlei e praticar um pouco, mas isso não me parece nada atraente. O treinador da universidade já divulgou todos os horários dos treinos, mas eu nem sequer abri o e-mail. Não sei por que, mas não tenho a menor vontade de olhar para uma bola de vôlei antes de chegar à Pensilvânia. Passei os últimos cinco anos de minha vida respirando voleibol. E estou prestes a passar os próximos quatro fazendo a mesma coisa.

Mereço um ou dois meses sem a obrigação de pensar nisso.

A chuva parou, e hoje o sol resolveu sair. Se eu continuar fingindo que estou doente pelo quarto dia seguido, meu pai pode acabar de fato me levando a um médico. Já não tenho uma boa desculpa para ficar no quarto, e talvez seja um dia bom para sair à procura de emprego. Talvez eu consiga arrumar um trabalho de garçonete e guardar as gorjetas para a hora de partir para a faculdade.

Eu daria tudo por mais um dia como os últimos três. Mas acho que não vai rolar, pois tem alguém batendo à porta do meu quarto.

— Sou eu — diz Sara. — Posso entrar?

— Óbvio.

Já vou me sentando na cama e me recosto na cabeceira. Sara sobe na cama e se senta ao meu lado. Ela cheira à canela.

— Está se sentindo melhor?

Faço que sim e forço um sorrisinho.

— Um pouco.

— Que bom. A chuva parou, até que enfim. Quer dar uma chegada na praia mais tarde?

— Não sei. Estava pensando em ir procurar um emprego de verão, de repente. Preciso juntar um dinhciro para a faculdade.

Ela dá uma risada.

— Não. Aproveite o seu último verão antes da vida adulta. Tire vantagem disso tudo — diz, abanando a mão no ar.

Ela está toda animadinha. E eu, ainda com cara de ontem. É muito óbvia a nossa incompatibilidade neste momento. Ela percebe, pois fecha o sorriso e estreita os olhos para mim.

— Está tudo bem, Beyah?

Eu sorrio, mas o esforço é muito grande, e meu sorriso desaba no meio de um suspiro.

— Sei lá. Isso aqui é tudo... meio estranho para mim.

— O quê?

— Estar aqui.

— Você quer voltar para casa?

— Não.

Não sei nem onde fica minha casa agora, mas não é disso que estou falando. Eu me sinto num limbo, e é uma sensação estranha. Uma sensação deprimente.

— Você está triste? — pergunta ela.

— Acho que sim.

— Tem alguma coisa que eu possa fazer?

Balanço a cabeça.

— Não.

Ela se vira de lado e apoia a cabeça na mão.

— A gente precisa tirar você dessa *bad*. Você acha que em parte é porque se sente uma estranha nessa casa?

Faço que sim. De fato, estou meio deslocada aqui.

— Isso contribui, provavelmente.

— Então temos que dar uma acelerada na nossa amizade. — Ela se vira de costas. — Vamos nos conhecer. Me faz umas perguntas.

A bem da verdade é que tem muita coisa que quero saber a respeito dela, então apoio a cabeça na cabeceira da cama e penso em algo.

— Você tem uma boa relação com a sua mãe?

— Tenho. Eu amo a minha mãe, ela é minha melhor amiga.

Sortuda.

— Cadê o seu pai?

— Ele mora em Dallas. Os meus pais se divorciaram faz cinco anos.

— Vocês costumam se ver?

Sara faz que sim.

— A-hã. Ele é um pai bacana. Parece bastante o seu.

Mantenho o semblante firme ao ouvir esse comentário.

Ela tem um bom pai, uma boa mãe e um padrasto que parece conhecê-la melhor do que conhece a própria filha. Espero que dê valor a isso.

Sara não passou por muitas dificuldades. Só de olhar, dá para ver. Ela ainda é cheia de esperança.

— Qual foi a pior coisa que já te aconteceu? — pergunto a ela.

— O divórcio dos meus pais foi muito difícil para mim.

— Qual foi a melhor coisa que já te aconteceu?

Ele escancara um sorriso.

— O Marcos.

— Há quanto tempo vocês estão juntos?

— Desde o recesso de primavera.

— Só isso?

— Pois é, faz poucos meses. Mas aposto a minha vida que um dia a gente vai casar.

— Não faça isso.

— Casar com ele? — pergunta ela, virando-se de barriga para baixo.

— Não aposte a sua vida nisso. Vocês só se conhecem faz uns meses.

Ele escancara um sorriso.

— Ah, mas não pretendo me casar tão cedo. Só depois de terminar a faculdade. — Ela ainda sorri, de um jeito sonhador. — Vou pedir transferência para poder ficar mais perto dele.

— Ele também está na faculdade?

— Está, faz graduação em moda na Universidade de Houston. Com ênfase em negócios.

— Ele está cursando moda?

Ela assente.

— Ele quer fundar uma marca de roupas chamada *HisPanic*.

— Isso explica as camisetas.

— Pois é, muito sagaz. Ele nasceu em Chiapas, então pretende doar uma parte dos lucros para o enfrentamento da pobreza por lá, se a marca decolar. Ele já tem cinco mil seguidores no Instagram.

— Isso é bom? Não entendo muito de redes sociais.

— É melhor que *não* ter cinco mil seguidores. — Sarah se senta na cama e cruza as pernas. Ela não para quieta. Eu queria ter metade dessa energia. — Posso te fazer uma pergunta?

Eu concordo com a cabeça.

— Eu já te fiz umas dez, então é mais que justo.

— O que é que te deixa feliz? — Sua expressão revela uma curiosidade genuína.

Preciso desviar os olhos antes que ela veja o meu próprio semblante, pois honestamente... não sei o que me deixa feliz. Também tenho curiosidade de saber. Passei a vida inteira só tentando sobreviver; nunca cheguei a pensar em nada para além disso.

Comer uma refeição costumava me deixar feliz. As noites em que minha mãe não trazia homens estranhos para casa me deixavam feliz. O dia de pagamento no McDonald's me deixava feliz.

Não entendo por que a pergunta desperta tantos gatilhos em mim, mas percebo pela primeira vez desde que cheguei aqui que as mesmas coisas que costumavam me deixar feliz já não são sequer questões em minha vida.

O que *é* que me deixa feliz?

— Não sei. — Olho a janela, vejo a água e sinto uma onda de sossego. — O oceano, eu acho.

— Então aproveite o oceano enquanto tem. Não arrume emprego nenhum. Você vai ter o resto da vida para trabalhar.

Transforme este verão na sua prioridade. Acho que você merece ser um pouquinho egoísta, para variar.

Eu assinto, em concordância.

— Mereço, mesmo.

Sara sorri.

— Que bom que você sabe disso. — Ela sai da cama. — Prometi ao Marcos que iria com ele cortar o cabelo e comer alguma coisa. Pode vir com a gente, se quiser.

— Não, preciso tomar um banho. Talvez mais tarde eu dê uma caminhada na praia.

Sara sai do meu quarto.

— Beleza. Daqui a umas horas a gente volta. Não jante nada, a gente vai cozinhar na praia hoje.

●

Sara mencionou que havia uma grande parte da península Bolívar chamada Zoo Beach. Lá é permitida a entrada de veículos e carrinhos de golfe na areia, então a circulação e o agito são constantes.

A área onde Sara mora ainda tem um pouco de gente, mas não é nem de longe tão movimentada quanto certas partes da península. A uns três quilômetros da casa começa um mundo novo e totalmente diferente. Não necessariamente melhor. Acho que isso depende do nosso humor de cada momento, mas agora sem dúvida não estou para música alta e masculinidade tóxica.

Dou meia-volta para retornar antes de me aproximar demais da área lotada. Vejo uns caras sentados na traseira de uma picape, tentando atrair um cachorro com um hambúrguer.

Dá para ver as costelas do cachorro por sob a pelagem. Observo o cão se aproximar lentamente dos dois rapazes, como se soubesse que há um preço a pagar pela comida que lhe está sendo oferecida.

Na mesma hora me identifico com o cachorro.

— Isso aí — diz um dos rapazes, estendendo o hambúrguer. — Chega mais pertinho.

Quando o cachorro chega ao alcance de seu braço, o sujeito recolhe a comida, e o outro cara mais que depressa agarra o cachorro e o puxa. Às gargalhadas, venda os olhos do animal e torna a soltá-lo. Sem enxergar nada, o cachorro começa a cambalear.

Corro até ele, que tenta arrancar a venda com a pata. Removo o pedaço de pano. Ele me olha, assustado, e foge correndo.

— Faz o favor! — diz um dos rapazes. — A gente estava só se divertindo.

Jogo a venda em cima deles.

— Babacas.

O cachorro está fugindo para longe. Vou andando, tomo o hambúrguer da mão do sujeito e disparo atrás do cachorro.

— Vadia — murmura um deles.

Sigo para o lado de onde vim, afastando-me da multidão e me aproximando do cachorro. O bichinho se esconde atrás de uma lata de lixo azul, todo encolhido. Eu me aproximo, devagar, e a cerca de meio metro de distância jogo com delicadeza o hambúrguer para ele.

O cachorro dá uma cheiradinha, então começa a comer. Sigo andando, agora morrendo de raiva. Às vezes não entendo os humanos. Odeio isso, pois me pego desejando que toda a humanidade sofresse só um tantinho mais do que já sofre. Se todos vivessem um pouco do que esse cachorro já viveu, talvez pensassem duas vezes antes de agir feito babacas.

Na metade do caminho para casa, percebo que o cachorrinho está me seguindo. Deve achar que tenho outros hambúrgueres.

Eu paro, e ele para.

Nós nos encaramos, avaliando um ao outro.

— Não tenho mais comida.

Recomeço a caminhar, e o cachorro vem atrás de mim. Vez ou outra dá uma desviada, mas logo olha para cima, torna a me encontrar e corre para me alcançar. Enfim chego em casa, com o bichinho ainda a tiracolo.

Tenho certeza de que não poderei entrar em casa com um cachorro tão fedido, mas pelo menos consigo alimentá-lo mais um pouco. Na base da escada da frente, eu me viro e aponto para ele.

— Fica.

O cachorro se senta, direitinho. O que me surpreende. A audição é boa, pelo menos.

Pego umas fatias de peru na geladeira, ponho água numa vasilha e levo até ele. Sento-me no primeiro degrau e acaricio sua cabeça enquanto ele come. Não sei se alimentá-lo aqui na casa é uma boa ideia. Agora que ganhou comida, decerto vai ficar nos rodeando, mas talvez isso não seja tão ruim. Eu ia gostar da companhia de alguém que não me julga.

— Beyah!

Ao ouvir meu nome, o cachorro levanta as orelhinhas. Ergo a cabeça e olho em volta, tentando localizar a pessoa que gritou, mas não vejo ninguém.

— Aqui em cima!

Olho a casa diagonalmente oposta à nossa, na segunda fileira atrás de um trecho vazio de praia. Vejo um cara na beirada de um telhado altíssimo. Está tão alto, que levo uns segundos para perceber que o sujeito é Samson.

Ele acena para mim. Feito uma idiota, olho em volta para confirmar que ele está falando comigo, embora ele tenha chamado meu nome.

— Sobe aqui! — grita ele.

Samson está sem camisa. Eu me levanto na mesma hora, sentindo-me tão patética e faminta quanto o cachorro.

Abaixo a cabeça e olho o bichinho.

— Já volto. Fica aí.

Assim que começo a caminhar pela rua, o cachorro vem atrás de mim.

Cruzo o jardim da casa onde Samson está. Agora o vejo perigosamente próximo à beirada do telhado, olhando para baixo.

— Sobe a escada do térreo e entra pela porta. No corredor, entra na primeira porta à esquerda. É o acesso ao telhado. Quero te mostrar uma coisa.

Daqui de baixo vejo o suor brilhando na testa dele. Olho para baixo um segundo, tentando decidir o que fazer. Nós até agora não tivemos as melhores interações. Por que eu me exporia a mais?

— Tenho medo de altura! — digo, bem alto, olhando para ele.

Samson ri.

— Você não tem medo de nada, sobe aqui.

Não sei por que ele diz isso com tanta confiança, como se me conhecesse. Mas ele tem razão. Não tenho medo de muita coisa. Viro-me para o cachorro e aponto para a escada.

— Fica. — O animal vai até o ponto onde indiquei e se senta.

— Caramba, cachorro. Você é esperto para caramba.

Subo a escada e chego à porta da casa. *Será que bato?* Resolvo bater, mas ninguém atende.

Presumo que Samson esteja sozinho lá dentro, ou teria ido me receber pessoalmente.

Empurro a porta, sentindo-me estranhíssima por entrar numa casa desconhecida. Avanço depressa até a porta à esquerda e abro. É uma escada, que leva a uma área de estar circular. Mais parece o topo de um farol, bem no meio e no alto da casa. É rodeada de janelas, com uma vista de 360 graus.

É impressionante. Não entendo por que toda casa não tem uma área assim. Eu viria aqui toda noite, para ler um livro.

Uma das janelas se abre, e Samson está à minha espera, no telhado, segurando a abertura do vão.

— Que demais isso aqui — digo, olhando para fora. Levo um instante para reunir coragem e subir ao telhado. Realmente não tenho medo de altura, como argumentei, mas esta casa é erguida sobre pilastras e ainda por cima tem dois andares.

Samson pega minha mão, me ajuda a subir e fecha a janela.

Eu me situo e prendo o ar, meio trêmula, pois só agora percebo a que altura estamos. Não ouso olhar para baixo.

Daqui de cima tudo parece diferente. Desta altura, todas as outras casas parecem pequenas.

Bem aos pés de Samson, vejo umas telhas empilhadas e uma caixa de ferramentas.

— Esta é uma das suas cinco casas de aluguel?

— Não. Só estou ajudando minha amiga Marjorie. Ela está com um vazamento.

O telhado tem dois níveis, um cerca de meio metro mais alto que o outro. Samson sobe ao nível de cima e põe as mãos na cintura.

— Vem cá.

Quando me ponho a seu lado, ele aponta para a direção oposta ao oceano.

— Daqui de cima dá para ver o pôr do sol na baía.

Olho para onde ele aponta. Do outro lado da península, o céu está incandescente. Vermelho, roxo, rosa e azul, tudo misturado.

— A Marjorie tem a casa mais alta de todas. Dá para ver a península inteira.

Giro o corpo devagar, admirando a vista. A baía está iluminada por nuances tão vibrantes, que mais parece um filtro fotográfico. Vejo a praia inteira, até onde a vista alcança.

— Que lindo.

Samson encara o pôr do sol por um momento, então desce à parte mais baixa do telhado. Vai até a caixa de ferramentas e se ajoelha. Coloca uma das telhas no lugar e começa a martelar.

Só de observar como ele circula aqui em cima, como se estivesse no térreo, fico cambaleante. Então me sento.

— Era só isso o que eu queria — diz ele. — Sei que você gosta de ver o sol nascer, então queria que você visse o pôr do sol daqui de cima.

— Na verdade hoje o nascer do sol me deprimiu.

Ele assente, como se compreendesse muito bem.

— Pois é. Certas coisas são tão lindas, que deixam tudo um pouco menos impressionante.

Eu o observo em silêncio por uns instantes. Ele prende umas cinco telhas, enquanto o céu devora quase toda a luz. Ele sabe que estou observando, mas por algum motivo não me constranjo desta vez. Acho que ele prefere que eu esteja aqui. Tipo durante as manhãs, quando nos sentamos, cada um em sua sacada, mas não trocamos uma palavra.

Seus cabelos estão molhados de suor, um pouco mais escuros que o normal. Ele usa um colar no pescoço, e vez ou outra, quando se mexe, percebo a marquinha de bronze deixada pela corrente. Ele não deve tirar esse colar nunca. É um cordão preto, de tranças finas, com um pedaço de madeira como pingente.

— Seu colar significa alguma coisa?

Ele assente, mas não explica o quê. Apenas segue trabalhando.

— Você vai me contar?

Ele balança a cabeça.

Beleza, então.

Solto um suspiro. O que é que estou fazendo tentando levar uma conversa com ele? Eu esqueci como é.

— Você arrumou um cachorro hoje? — pergunta ele.

— Fui dar uma volta. E ele me seguiu até em casa.

— Vi que você deu comida a ele. Agora mesmo é que não vai te largar.

— Tudo bem.

Samson me olha e seca o suor da testa com o braço.

— O que a Sara e o Marcos vão fazer hoje à noite?

Dou de ombros.

— Ela falou alguma coisa sobre cozinhar na praia.

— Que bom. Estou morrendo de fome — diz ele, ainda ajeitando as telhas no telhado.

— Quem é Marjorie? — pergunto.

— A dona desta casa. O marido morreu faz uns dois anos, então de vez em quando venho ajudar.

Fico pensando quanta gente da vizinhança será que ele conhece. Será que cresceu no Texas? Em que escola estudou? Por que está indo para a Força Aérea? Tenho tantas perguntas.

— Há quanto tempo você tem casas aqui?

— Eu não tenho casas aqui — diz ele. — O meu pai é que tem.

— Há quanto tempo *o seu pai* tem casas aqui?

Samson leva um segundo para responder.

— Não quero falar sobre as casas do meu pai.

Mordo o lábio. Parece que há várias perguntas proibidas. Que ódio, isso me deixa ainda mais curiosa. Não costumo encontrar pessoas que guardam segredos como eu. A maioria quer alguém que as escute. Alguém em quem possam despejar tudo. Samson não quer um ouvinte. Nem eu. O que explica por que as conversas que tenho com ele são diferentes das que tenho com outras pessoas.

Nossas conversas parecem uns borrões. Como um grande espaço em branco com respingos de tinta.

Samson começa a guardar as ferramentas na caixa. Ainda há luz lá fora, mas não será assim por muito tempo. Ele se levanta, retorna à parte mais alta do telhado e se senta ao meu lado.

Sinto o calor de seu corpo, de tão perto que ele está.

Ele apoia os cotovelos nos joelhos. É uma pessoa muito bonita. É difícil não ficar encarando gente como ele. Mas acho que seu carisma vem menos da aparência e mais da forma como ele se movimenta. Talvez ele tenha um lado artístico.

Ele guarda certa quietude, sem dúvida, que o faz parecer introspectivo. Ou talvez seja apenas cauteloso.

Seja lá o que o constitua como um todo, eu me vejo olhando um projeto no qual desejo embarcar. Um desafio. Quero desvendá-lo, ver o que esse cara tem para ser a única pessoa no planeta que me desperta curiosidade genuína.

Samson corre o polegar pelo lábio inferior, de um jeito tão natural que fico encarando sua boca.

— Tinha um pescador que costumava vir bastante aqui — diz ele. — O nome dele era Rake. Ele morava no próprio barco e cruzava a costa de cima a baixo, daqui até South Padre. Às vezes ancorava o barco bem ali, nadava até a praia e se juntava a um grupo de pessoas aleatórias, gente que estava cozinhando. Não lembro de muita coisa a respeito dele, mas sei que ele escrevia poemas em uns pedaços de papel e entregava às pessoas. Acho que era isso o que mais me fascinava nele. Era um pescador destemido que escrevia poesia. — Samson sorri. — Eu me lembro de achar que ele era tipo uma criatura mítica intocável. — Ele faz uma pausa e vai fechando o sorriso. — Em 2008, o furacão Ike atingiu a costa. Destruiu quase toda a ilha. Eu estava ajudando na remoção dos destroços quando encontrei o barco do Rake mais para o canto da península, em Gilchrist. Estava todo destruído. — Com os olhos fixos no pingente, ele corre os dedos pelo colar. — Peguei um pedaço do barco e fiz este colar.

Ainda tocando o colar, ele torna a olhar o oceano e vai deslizando o pingente de madeira pelo cordão.

— O que aconteceu com o Rake?

Samson me olha.

— Não sei. Ele não era morador da área, tecnicamente, então não foi computado entre os mortos e desaparecidos. Mas ele jamais abandonaria o barco, nem durante um furacão. Para ser honesto, não sei de alguém que o tenha procurado ativamente. Não sei nem se alguém deu falta dele depois do furacão.

— Você deu.

A expressão de Samson muda. Há uma tristeza nele, e um pouco dessa tristeza escapa. Eu não gosto, pois ao que parece a tristeza é uma sensação à qual me conecto. Sinto seu olhar tocar fundo em minha alma.

Samson não tem nada a ver com a pessoa que achei que fosse quando o conheci. Não sei como processar isso. Admitir que ele é o contrário do que imaginei me deixa decepcionada comigo mesma. Nunca me considerei uma pessoa preconceituosa, mas acho que sou. Eu o julguei. Julguei Sara.

Desvio os olhos de Samson e me levanto. Vou até o nível inferior do telhado e me viro para a janelinha. Trocamos um olhar silencioso, por pelo menos cinco segundos.

— Eu estava errada a seu respeito.

Samson assente, ainda me encarando.

— Tudo bem — diz ele, com sinceridade, como se não guardasse qualquer mágoa de mim.

Não costumo topar com muita gente com quem sinto que posso aprender algo, mas talvez ele já tenha me desvendado mais do que eu o desvendei. Acho isso atraente.

Saio do telhado e desço as escadas com uma sensação de peso bem maior do que quando subi.

Ao sair da casa, vejo o cachorro no mesmo lugar. Ele me olha, empolgado, e balança o rabinho quando chego ao térreo.

— Olha só, que obediente.

Eu me abaixo e faço um carinho nele. Sua pelagem é opaca e emaranhada. Essa pobre criaturinha abandonada me remete tanto a mim mesma.

— Esse cachorro é seu?

Localizo a voz e vejo uma mulher sentada a uma mesa de piquenique, na área inferior da casa. Ela tem um saco no colo e remexe alguma coisa dentro. É mais velha, talvez uns setenta anos. Deve ser Marjorie.

— Não sei — respondo, olhando o cachorro. — A gente acabou de se conhecer.

Eu me aproximo da mesa. O cachorro vem atrás.

— Você é amiga do Samson? — pergunta ela.

— Não sei — repito. — A gente também acabou de se conhecer.

Ela ri.

— Bom... se você o compreender, me avise. Esse rapaz é uma incógnita.

Pelo visto não sou a única que pensa isso dele.

— Ele me chamou para olhar a vista do seu telhado. É estonteante. — Agora, mais de perto, vejo que ela está abrindo nozes-pecãs. Eu me recosto numa das pilastras que sustentam a casa. — Há quanto tempo você conhece o Samson?

Ela ergue a cabeça, pensativa.

— Desde o começo do ano, talvez. Sofri um infarto em fevereiro. Já não me locomovo como antes, então ele passa aqui de vez em quando e eu o encho de trabalho. Ele não reclama. Nem me cobra, então não sei bem o que ele ganha com isso.

Dou um sorriso. Gosto de saber que ele não tira dinheiro dela. Não que ela não tenha condições de pagar. Mora na maior casa do bairro mais bacana desta península. Não é a mais moderna. Na verdade é até meio antiga, mas tem personalidade. Parece bastante usada, ao contrário de várias outras casas, idênticas e arrumadinhas para aluguel.

— Adorei a sua casa — comento, olhando em volta. — Como é que se chama esse piso aqui?

— É o piso pilotis — responde ela, e aponta para o alto da cabeça. — O de cima a gente diz que é o primeiro andar.

Olho as outras casas à nossa volta. Algumas fecharam o piso pilotis. Algumas transformaram em garagem. Gosto da de Marjorie. Ela tem um bar de bebidas, uma mesa de piquenique e umas redes presas a algumas das pilastras.

— Tem gente que gosta de transformar o piso pilotis em quarto extra — diz ela. — Os imbecis aqui do lado fecharam a área toda e construíram um quarto de hóspedes. Fica meio escuro, mas eles não pediram a minha opinião. Daqui a pouco vão se dar conta. Às vezes o oceano é nosso vizinho, mas às vezes dorme na nossa cama. — Ela acena para que eu me aproxime. — Vem cá. Toma, para você.

Ela me entrega um grande saco de nozes-pecãs com casca.

— Não precisa me dar — digo, tentando devolver.

Ela abana a mão.

— Pode ficar. Já tenho muitas.

Não faço ideia do que vou fazer com meio quilo de noz-pecã. Acho que vou dar para Alana.

— Valeu.

Marjorie meneia a cabeça para o cachorro.

— Já deu um nome para ele?

— Não.

— Devia chamar de Queijo Pepper Jack.

Dou uma risada.

— Por quê?

— Por que não?

Olho para o cachorrinho. Não parece um pedaço de queijo. Acho que *nenhum* cachorro parece queijo.

— Pepper Jack — repito, experimentando o nome. — Você se sente um Pepper Jack?

— *Queijo* Pepper Jack — corrige Marjorie. — A criatura merece o nome completo.

Gosto de Marjorie. Ela é estranha.

— Obrigada pelas nozes. — Olho o cachorrinho. — Vamos para casa, Queijo Pepper Jack.

Onze

Frequentei uma escola primária pequena. Foi onde conheci Natalie. Ficava a poucas quadras de distância de casa, e de tão pequena só havia um professor por série. Nosso grupinho era o povo da nossa série. No ensino fundamental, ninguém se preocupava com dinheiro, pois éramos muito pequenos para entender dessas coisas.

À medida que crescemos, a coisa mudou de figura. O campus da escola ficou bem maior, e era o dinheiro que definia as companhias de cada um. Exceto para os que tinham uma beleza estonteante. Ou os famosos do YouTube, no caso de Zackary Henderson. Ele não era rico, mas seu status nas redes sociais o catapultou à turma dos ricos. Para muita gente da minha idade, seguidores são uma moeda mais valiosa que dinheiro vivo.

Eu morava na pior área da cidade, e todo mundo sabia disso. Pouco a pouco, a garotada da minha vizinhança que era tão pobre quanto eu começou a definhar. Vários seguiram os passos dos pais e procuraram as drogas. Nunca me senti parte desse grupo, pois sempre fiz o possível para ser o extremo oposto de minha mãe e de gente igual a ela.

Na escola, porém, isso não fazia diferença. Natalie foi minha única amiga até que eu entrasse para a equipe de voleibol. Algumas garotas do vôlei me aceitaram, ainda mais depois que me revelei a melhor jogadora, mas a maioria não gostava de mim. E me tratavam como se eu fosse inferior. Mas não era um *bullying* típico. Ninguém me xingava, ninguém me empurrava nos corredores. Acho que minha figura intimidava, de modo que elas não me importunavam.

Eu revidaria, e elas sabiam muito bem.

Na verdade, eu era evitada. Ignorada. Nunca era incluída em nada. Tenho certeza de que grande parte disso se devia ao fato de que eu era uma das poucas pessoas na escola que não tinha celular nem computador nem telefone fixo. Não havia como me contatar quando eu estava fora da escola, o que hoje em dia prejudica muito as relações sociais de qualquer um. Ou talvez essa seja só a justificativa que encontrei para a exclusão que sofri por quase seis anos.

É difícil não se amargurar quando passamos tanto tempo sozinhos. E é ainda mais difícil não se amargurar com o sistema de classes e o povo endinheirado, pois quanto mais rica é a pessoa, mais pareço invisível a ela.

Por tudo isso, estar aqui nesta praia, com o tipo de gente que decerto nem me olharia na época da escola, é difícil para mim. Quero acreditar que Sara teria me tratado da mesma forma que me trata se eu a tivesse conhecido na escola. Quanto mais a conheço, menos a vejo como alguém que desprezaria alguém de propósito.

E Samson. Como será que ele tratava os desprezados?

Nem todos os ricaços da minha escola eram babacas, mas muitos eram, então acho que acabei botando todos no mesmo saco. Em parte, imagino se as coisas teriam sido diferentes se eu tivesse me esforçado mais. Sido mais aberta. Será que eu teria sido aceita?

Talvez a única razão pela qual não fui aceita foi não ter desejado ser. Era mais fácil ficar na minha. Eu tinha Natalie quando precisava, mas ela tinha celular, além de outros amigos que a mantinham ocupada, então não éramos inseparáveis. Não dá nem para dizer que éramos melhores amigas.

Só sei que eu nunca fazia essas coisas. Nunca saía com grupinhos. Quando completei idade para ter um emprego, trabalhava o máximo que podia. Então fogueiras, churrascos e diversão com gente da minha idade são coisas totalmente desconhecidas. Estou tentando achar um jeito de ficar à vontade com esse pessoal, mas vai levar tempo. Levei muitos anos para me tornar a pessoa que sou. É difícil mudar nossa essência num intervalo de poucos dias.

Há cerca de oito pessoas junto à fogueira, mas nenhuma delas é Samson. Ele desceu e pegou um hambúrguer, mas comeu e logo voltou para casa. Os dois únicos conhecidos são Sara e Marcos, mas estão sentados do outro lado da fogueira. Acho que também não conhecem esse povo muito bem. Ouvi Marcos perguntar a um dos caras de onde ele era.

Deve ser coisa de praia. Sair com pessoas aleatórias e desconhecidas. Estranhos reunidos em torno de uma fogueira, trocando perguntas superficiais até estarem bêbados a ponto de fingir que são todos amigos de infância.

Acho que Sara percebeu que comecei a me encolher. Ela se aproxima e se senta ao meu lado. Queijo Pepper Jack está deitado na areia, junto à minha cadeira. Sara olha o cachorrinho e acaricia sua cabeça.

— Onde foi que você achou essa coisinha?

— Ele me seguiu até a casa hoje mais cedo.

— Já deu um nome para ele?

— Queijo Pepper Jack.

Ela olha para mim.

— Sério?

Dou de ombros.

— Acho que gostei — diz ela. — A gente podia dar um banho nele mais tarde. Tem um chuveiro no térreo.

— Será que a sua mãe me deixaria ficar com ele?

— Dentro de casa, não, mas a gente pode preparar um cantinho para ele do lado de fora. Honestamente, ela não vai nem reparar. Eles mal param em casa.

Eu já tinha percebido isso. Os dois chegam em casa tarde e costumam ir dormir logo em seguida. E saem bem cedo de manhã.

— Por que eles passam tanto tempo fora?

— Os dois trabalham em Houston. O trânsito é horrível, então durante a semana eles jantam na cidade para fugir do engarrafamento. Mas no verão têm as sextas-feiras de folga, então ficam com três dias de fim de semana.

— Então por que se dão ao trabalho de voltar para cá de segunda a quinta? A casa principal não fica em Houston?

— A minha mãe fica muito preocupada comigo. Ela nem é tão rígida, porque já tenho quase vinte anos, mas ainda precisa conferir se venho dormir em casa toda noite. E ela ama o oceano. Acho que dorme melhor aqui.

— E fora do verão, alguém reside na casa?

— Não, a gente aluga por temporada. E vimos nos feriados, ou às vezes escapamos aos fins de semana. — Ela para de afagar Queijo Pepper Jack e olha para mim. — Para onde você vai em agosto, quando as suas aulas começarem? Vai voltar para a casa da sua mãe?

Meu estômago revira diante dessa pergunta. Todo mundo ainda acha que vou frequentar alguma faculdade comunitária no Kentucky. Sem mencionar que ainda não falei nada sobre a minha mãe.

— Não. Eu vou...

Antes que eu termine a frase, Marcos aparece e puxa Sara da cadeira. Dá um rodopio nela, que solta um gritinho e o abraça. Os dois correm em direção à água. Queijo Pepper Jack se levanta e começa a latir, agitado com a comoção.

— Está tudo bem — digo a ele, pousando a mão em sua cabeça. — Deita aí.

Ele torna a se acomodar na areia. Olho a casa de Samson, imaginando o que ele está fazendo. Será que está com alguma garota? Isso explicaria por que não está aqui na praia com o pessoal.

Não gosto de ficar aqui sozinha, enquanto Sara e Marcos estão no mar. Não conheço ninguém, e o povo está começando a ficar meio bruto. Acho que sou a única que não está bebendo.

Eu me levanto para dar uma caminhada e me afastar das pessoas, antes que alguém resolva brincar de girar a garrafa ou outra coisa igualmente terrível. Queijo Pepper Jack vem atrás de mim.

Estou começando a gostar deste cachorro. Sua lealdade é bacana, mas o nome é comprido demais. Acho que vou chamá-lo de P.J.

A poucos metros do grupo, vejo um castelo de areia semidestruído. P.J. corre até lá e começa a farejar. Eu me sento junto à construção e começo a ajeitar uma das paredes.

A vida é estranha. Um dia a pessoa encontra a mãe morta no sofá, e dias depois está sozinha numa praia escura, ajeitando um castelo de areia na praia, ao lado de um cachorro com nome de queijo.

— Daqui a uma hora a maré leva.

Olho para cima e vejo Samson parado atrás de mim. Sinto um alívio extremo ao vê-lo aqui, o que me incomoda. Estou começando a sentir um estranho conforto na presença dele.

— Então é melhor você me ajudar a construir um muro de contenção.

Samson se senta do outro lado do castelo de areia e olha para o cachorro.

— Ele gostou de você.

— Dei comida a ele. Se ele pegasse um hambúrguer da sua mão, tenho certeza de que também ficaria no seu pé.

Samson se inclina para a frente e começa a juntar areia na lateral do castelo. Abro um sorriso. Um cara gostoso, sem camisa, brincando com areia.

Lanço uns olhares furtivos, impressionada com sua concentração.

— O nome dele é Queijo Pepper Jack — comento, rompendo um longo instante de silêncio.

Samson sorri.

— Você conheceu a Marjorie?

— Como é que você sabe que foi ideia dela?

— Ela tem dois gatos. Muçarela e Queijo Cheddar.

Dou uma risada.

— Que mulher interessante.

— É, mesmo.

A maré se aproxima e lambe um pouco da área onde estamos trabalhando. Samson interrompe as batidinhas na areia.

— Já entrou na água?

— Não. Sou meio desconfiada.

— Por quê?

— Água-viva, tubarão. Tudo o que fica sob a superfície e que a gente não vê.

Samson ri.

— Agora há pouco a gente estava no telhado de uma casa de três andares. O oceano é bem mais seguro que aquele telhado. — Ele se levanta e bate a areia do short. — Vem.

Vai caminhando até a água, sem esperar por mim. Procuro Marcos e Sara, mas eles estão bem afastados.

O oceano é imenso, então não sei por que entrar na água com Samson me parece tão íntimo. Eu me levanto, tiro o short e jogo ao lado de Queijo Pepper Jack.

— Fica de olho — digo a ele.

Entro na água. É mais quente do que imaginei que seria. Samson está uns metros à minha frente. Vou andando, surpresa em ver o quanto preciso entrar no mar até que a água comece a cobrir meus joelhos. Samson fura uma onda e desaparece debaixo da água.

Quando estou coberta de água até o peito, ele ressurge, irrompendo da água a cerca de meio metro de mim. Alisa o cabelo para trás e me dá uma olhada.

— Viu? Não tem nada de assustador.

Ele baixa o corpo, deixando que a água cubra seu pescoço. Nossos joelhos se tocam acidentalmente, mas ele finge que não percebeu. Não faz menção de se afastar, mas chego um tantinho para trás, para garantir que não torne a acontecer. Não o conheço tão bem, e não sei se quero passar essa ideia. Há poucas noites ele estava com uma garota no colo. Não tenho a menor intenção de ser mais um troféu.

— A Marjorie te deu noz-pecã hoje? — pergunta ele. Faço que sim, e ele dá uma risada. — Cacete, eu estou entulhado de noz-pecã. Passei até a deixar na porta dos outros.

— É isso que ela faz o dia todo? Descasca noz-pecã?

— Basicamente.

— Onde é que ela arruma? Nem tem árvores no quintal dela.
— Não faço ideia. Eu não a conheço muito bem. Só nos conhecemos faz uns meses. Eu estava passando em frente a casa, e ela me parou e perguntou se eu pretendia passar na mercearia. Perguntei de que ela estava precisando, e ela falou que queria umas pilhas. Perguntei de que tamanho, e ela respondeu "*me faça uma surpresa*".

Abro um sorriso, mas não exatamente pelo que ele diz. É porque gosto do jeito como ele fala. Algo no jeito como ele mexe o lábio inferior me chama atenção.

Samson volta a olhar meu rosto, mas não meus olhos. Percebo que ele olha minha boca, mas desvia o olhar outra vez. Ele nada um pouco mais para longe.

A água já está cobrindo meu pescoço. Preciso bater os braços para me manter numa área que meus pés alcancem a areia.

— A Sara falou que você estava doente — diz ele.
— Não ando me sentindo bem, mas é mais emocional do que físico.
— Está com saudade de casa?

Balanço a cabeça.

— Não. Zero saudade de casa, definitivamente. — Parece que ele está bem falante hoje, o que é atípico. Tento tirar vantagem. — Aonde é que você vai todo dia? O que mais você faz, além de ajudar senhorinhas sem cobrar nada?

— Só tento passar despercebido — responde ele.
— Como assim?

Samson desvia os olhos e encara a lua cheia, equilibrada bem na beirinha da água.

— A explicação é longa. Não estou a fim de explicações longas agora.

Que surpresa. Quando o assunto é conversa, ele parece querer ficar na parte rasa.

— Não consigo te desvendar — digo.

— Achei que você não quisesse — devolve ele, com a mesma expressão, mas um toque de bom humor na voz.

— Isso é porque eu achava que já tinha desvendado. Mas já te disse que estava enganada. Você tem camadas.

— Camadas? — repete ele. — Tipo um bolo, ou tipo uma cebola?

— Cebola, sem dúvida. Suas camadas são do tipo que a gente tem que descascar.

— É isso que você está tentando fazer?

Dou de ombros.

— Não tenho mais nada a fazer. Talvez passe o verão inteiro descascando camadas, até que você se digne a me responder uma pergunta.

— Respondi uma. Contei sobre o meu colar.

Meneio a cabeça.

— Verdade, não posso negar.

— E você acha que é fácil te desvendar? — pergunta ele.

— Sei lá.

— Pois não é.

— Você está tentando?

Ele sustenta meu olhar um instante.

— Se você estiver.

A resposta dele deixa meus joelhos pesados feito duas âncoras.

— Tenho a sensação de que a gente não vai muito longe um com o outro — digo. — Gosto de guardar meus segredos. Acho que você também.

Ele assente.

— Uma coisa eu prometo: comigo, você não vai passar da primeira camada.

Algo me diz que vou, sim.

— Por que você é tão reservado? A sua família é famosa ou coisa assim?

— Ou coisa assim.

Ele continua se aproximando. O que me faz pensar que a atração talvez seja mútua. Isso é difícil de entrar em minha cabeça. Que um cara tão rico e bonito como ele tenha qualquer interesse por mim.

A cena me faz lembrar da sensação que tive depois de meu primeiro beijo em Dakota. Por isso me afasto de Samson. Não quero que ele diga ou faça nada que me lembre como Dakota me fez *depois* de nosso primeiro beijo.

Não quero sentir aquilo nunca mais, mas não consigo deixar de imaginar se as coisas seriam diferentes com Samson. O que ele diria depois do beijo? Será que seria insensível como Dakota?

Acabamos nos deslocando um pouco, e agora estou de costas para a praia. É como se estivéssemos nos movendo, mas de um jeito quase imperceptível, de tão lento. Há umas gotas no lábio inferior de Samson, e não consigo parar de olhar.

Nossos joelhos se roçam de novo. Desta vez não me afasto, mas o toque leva apenas um segundo. Quando passa, eu me sinto esvaziar.

Fico pensando no que será que ele está sentindo. Não deve estar tão confuso quanto eu em relação a seus desejos.

— E você, que razão tem para ser tão reservada? — pergunta ele.

Paro e penso um instante.

— Acho que nunca encontrei ninguém com quem desejasse compartilhar as coisas.

Seu olhar revela certa compreensão.

— *Nem eu* — diz ele, quase num sussurro. Mergulha e desaparece. Segundos depois, ouço sua respiração na superfície. Dou um giro, e ele se aproxima ainda mais de mim. Nossas pernas estão se tocando, sem dúvida, mas nenhum de nós se afasta.

Acho que nunca me senti assim, com o sangue tão acelerado nas veias. Minhas interações com os homens sempre me deixavam com vontade de me afastar. Não é comum que eu deseje *estreitar* a distância mim e o outro.

— Me faça umas perguntas — diz ele. — Eu talvez não responda a maioria, mas quero saber o que te deixa curiosa a meu respeito.

— Mais coisa do que você vai entregar, sem dúvida.

— Arrisca.

— Você é filho único?

Ela assente.

— Quantos anos você tem?

— Vinte.

— Onde você cresceu?

Ele balança a cabeça, recusando-se a responder essa.

— Nem foi uma pergunta invasiva — retruco.

— Se você soubesse a resposta, veria que foi, sim.

Ele tem razão. Isso vai ser um desafio. Mas acho que ele não sabe o quanto gosto de competir. Conquistei minha vaga na Universidade da Pensilvânia com bolsa integral graças a meu comprometimento em vencer.

— A Sara falou que você vai para a Academia da Força Aérea.

— Isso.

— Por quê?

— É uma tradição familiar.

— Ah — respondo. — Uma migalha. Então o seu pai era da Força Aérea?

— Isso. Meu avô também.

— Como é que a sua família tem tanta grana? Militar nem ganha tão bem assim.

— Algumas pessoas viram militares por apreço, não por dinheiro.

— Você *quer* ir para a Força Aérea, ou está indo porque é o esperado?

— Eu quero ir.

— Que bom.

Não sei se é ele ou a maré, mas estamos ainda mais perto. Uma de minhas pernas está entre os joelhos dele, e minha coxa vez ou outra roça a dele. Acho que estou fazendo de propósito, o que me surpreende. Talvez ele esteja também.

— Qual é o seu animal favorito? — pergunto.

— Baleia.

— Comida favorita?

— Frutos do mar.

— Atividade favorita?

— Nadar.

Dou uma risada.

— Respostas típicas de rato de praia. Não vou chegar a lugar nenhum.

— Faça umas perguntas melhorzinhas — devolve ele, sem rodeios.

Mais um desafio. Trocamos um olhar denso, enquanto penso numa pergunta para a qual realmente quero resposta.

— A Sara falou que você não se relaciona com ninguém... que só fica com as garotas que vêm de férias. Por quê?

Ele não responde. Outra pergunta proibida, eu acho.

— Beleza, muito particular. Vou pensar em outra mais fácil.

— Não, essa eu vou responder. Só estou pensando em como.
— Ele baixa o corpo, cobrindo todo o pescoço de água. Faço o mesmo. Gosto de sentir que toda a nossa atenção está nos olhos um do outro. Embora os dele não sejam muito reveladores.

— Para mim não é fácil confiar.

Eu não esperava essa resposta. Esperava ouvi-lo dizer que gosta de ser solteiro, ou algum clichê parecido.

— Por quê? Alguém partiu seu coração?

Ele aperta os lábios e reflete.

— Isso — responde, impassível. — Meu coração ficou destruído. Darya era o nome dela.

Ao ouvir o nome em voz alta, sinto um inesperado fio de ciúme brotar em minhas entranhas. Quero perguntar o que aconteceu, mas na verdade não quero ouvir a resposta.

— Como é a sensação? — pergunto a ele.

— De ter o coração destruído?

Faço que sim.

Ele afasta um pedaço de alga.

— Você nunca se apaixonou?

Dou uma risada.

— Não. Nunca cheguei nem perto. Nunca amei ninguém, nem *fui* amada por ninguém.

— Foi, sim. A família conta.

Torno a balançar a cabeça. Mesmo que a família conte, minha resposta não muda em nada. Meu pai mal me conhece. Minha mãe foi incapaz de me amar.

Eu me afasto dele e olho o mar aberto.

— Não tenho esse tipo de família — respondo, baixinho. — Nem todo mundo tem a mãe igual à minha. Nem lembro dela me abraçando. Nenhuma vez. — Volto a encará-lo. — Agora, pensando bem, não sei nem dizer se algum dia *fui* abraçada por alguém.

— Como que pode isso?

— Tipo, eu já abracei as pessoas, como cumprimento. Aquele abraço ligeiro, quando a gente chega ou vai embora. Mas ninguém nunca... não sei nem como dizer.

— Te envolveu nos braços?

Faço que sim.

— Isso. É uma descrição melhor, eu acho. Ninguém nunca me *envolveu* nos braços. Não conheço essa sensação. Sendo bem sincera, tento até evitar. Imagino que seria estranho.

— Depende de quem te envolveria, eu acho.

Sinto a garganta apertar. Engulo em seco e mexo a cabeça, mas não digo nada.

— Me surpreende você não achar que seu pai te ama. Ele parece um cara bacana.

— Ele não me conhece. Esta é a primeira vez que nos vemos desde os meus dezesseis anos. Sei mais a seu respeito do que a respeito dele.

— Não é muita coisa.

— Pois é — respondo, olhando para ele outra vez.

O joelho de Samson roça entre minhas coxas, e agradeço por ele não estar vendo meu corpo do queixo para baixo, pois estou completamente arrepiada.

— Não achei que houvesse no mundo muita gente como eu.

— Você acha que somos parecidos? — Quero rir da comparação, mas não há o menor traço de humor na expressão dele.

— Acho que a gente tem muito mais em comum do que você pensa, Beyah.

— Você se considera tão sozinho neste mundo quanto eu?

Ele pressiona os lábios e meneia a cabeça. É a coisa mais honesta que já presenciei. Jamais imaginei que alguém com tanta grana tivesse uma vida tão bosta quanto a minha, mas vejo pela forma como ele olha para mim. De súbito, tudo a respeito dele me parece familiar.

Ele tem razão. Somos parecidos, mas apenas no sentido mais triste.

— Quando te conheci, naquela balsa — digo, num sussurro —, deu para ver que você guardava feridas.

Ele vira a cabeça para a direita, e vejo um lampejo em seus olhos.

— Você acha que fui ferido?

— Acho.

Ele se aproxima ainda mais por debaixo da água, só que, sendo bem sincera, já não há muito espaço entre nós. É deliberado, e uma boa parte do meu corpo está tocando o dele.

— Tem razão — diz ele, baixinho, deslizando a mão por trás de meu joelho esquerdo. — De mim só sobrou a merda dos escombros.

Ele me puxa para si, enganchando minhas pernas em seu corpo. Mas só isso. Não tenta me beijar. Só conecta nossos corpos, como se isso bastasse, enquanto os braços permanecem flutuando.

Muito depressa, vou sucumbindo a ele. Não sei bem de que maneira. De todas, talvez. Pois neste exato momento preciso que ele faça alguma coisa. Qualquer coisa. Que me prove. Me toque. Me arraste para baixo.

Nós nos olhamos por um instante, e quase sinto que estou encarando um espelho quebrado. Ele inclina o corpo bem devagar, mas não em direção à minha boca. Pressiona os lábios em meu ombro, com tamanha delicadeza que mais parece um leve carinho.

Fecho os olhos e sorvo o ar.

Nunca senti nada tão sensual. Tão perfeito.

Uma de suas mãos some por debaixo da água e encontra minha cintura. Quando abro os olhos, seu rosto está a poucos centímetros do meu.

Olhamos a boca um do outro por um breve segundo, então sinto um ardor tomar conta de toda a minha perna.

— Merda!

Alguma coisa me mordeu.

Fui mordida bem na hora que ia ser beijada, que grande sortuda eu sou.

— Merda, merda, merda — repito, agarrando os ombros de Samson. — Alguma coisa me mordeu.

Ele balança a cabeça, como se para sair do transe. E entende o que acabou de acontecer.

— Água-viva — diz.

Samson agarra a minha mão e me puxa em direção à areia, mas minha perna dói tanto que está difícil andar.

— Ai, meu Deus, que dor.

— A Sara guarda uma garrafa de vinagre no chuveiro de fora. Vai aliviar a ardência.

Ao perceber que estou lutando para caminhar, ele se abaixa e me pega no colo. Quero aproveitar o fato de que ele me pegou nos braços, mas não consigo.

— Onde foi que ela encostou? — pergunta ele.

— Na perna direita.

Quando a água está bem abaixo dos joelhos, ele consegue caminhar mais depressa. Cruzamos depressa a fogueira rumo à porta do chuveiro, no térreo da casa de Sara.

— O que foi que houve? — grita Sara atrás de nós.

— Água-viva! — responde Samson, por sobre o ombro.

Quando entramos no chuveiro, quase não há espaço para nós dois. Ele me acomoda, e eu viro o corpo e empurro a mão contra a parede.

— Pegou bem no alto da minha coxa.

Ele começa a jogar o vinagre em minha perna, e parece que minha coxa está sendo golpeada por pequeninas facas. Fecho os olhos e pressiono a testa na parede do chuveiro. Solto um grunhido de agonia.

— Ai, meu Deus.

— Beyah — diz Samson, com a voz grave e contida. — Por favor, não faz esse barulho.

A dor é muito forte para que eu assimile o comentário. O vinagre em minha pele só intensifica ainda mais o sofrimento.

— Samson, está doendo. Para, por favor.

— Ainda não — diz ele, molhando minha perna para garantir que toda a ferida foi coberta. — Daqui a pouquinho vai melhorar.

Que mentira, eu quero morrer.

— Não, está doendo. Para, por favor.

— Já estou quase acabando.

De repente, ele para de falar, mas não por escolha própria. E desaparece, em um lampejo de confusão. Dou um giro e espicho o pescoço bem a tempo de testemunhar meu pai desferir um soco na cara de Samson.

Samson cambaleia para trás, então desaba sobre o parapeito de concreto da casa.

— Ela mandou parar, seu filho da puta! — grita meu pai.

Samson se levanta com esforço e se afasta de meu pai. Ergue as mãos para se defender, mas meu pai avança para socá-lo outra vez. Agarro seu braço, mas não alivio muito o impacto do segundo soco.

— Para, pai!

Sara aparece. Olho para ela, implorando por ajuda. Ela corre e tenta segurar o outro braço de meu pai, mas ele está agarrado à garganta de Samson.

— Ele estava me ajudando! — eu grito. — Solta ele!

Meu pai afrouxa um pouco a garganta de Samson, mas ainda não solta. Samson está com o nariz sangrando. Tenho certeza de que ele poderia revidar, mas não revida. Fica só balançando a cabeça, encarando meu pai com os olhos arregalados.

— Eu não estava... ela foi queimada por uma água-viva. Eu estava ajudando.

Meu pai olha por sobre o ombro, procurando por mim. Quando trocamos olhares, meneio a cabeça com vigor.

— É verdade. Ele estava botando vinagre na minha perna.

— Mas eu te ouvi falar... — Ao perceber o mal-entendido, meu pai fecha os olhos e dá um suspiro profundo. — *Merda* — diz ele, soltando Samson, que agora tem sangue escorrendo pelo pescoço.

Meu pai põe as mãos na cintura e passa uns segundos tentando recuperar o fôlego. Então, aponta para Samson.

— Vem para dentro — murmura ele. — Acho que quebrei o seu nariz.

Doze

Samson está debruçado na bancada da pia do banheiro de hóspedes, pressionando um pano no nariz para estancar o sangramento. Eu estou sentada na banheira vazia, com uma compressa quente. A porta do banheiro está entreaberta, e por mais que Alana e meu pai estejam no outro extremo do corredor, ouvimos toda a conversa.

— Ele vai processar a gente — diz meu pai.

Samson ri baixinho.

— Não vou processar — sussurra.

— Ele não vai fazer isso — devolve Alana.

— Você não sabe — diz meu pai. — A gente mal se conhece, e eu quebrei o nariz dele.

Samson olha para mim.

— Não está quebrado. Ele nem é tão forte assim.

Eu rio.

— Estou confusa — diz Alana, no corredor. — Por que você bateu nele?

— Os dois estavam no chuveiro lá de fora. Achei que ele estivesse...

— A gente está ouvindo! — eu grito. Não quero que ele conclua a frase. A situação já está constrangedora demais.

Meu pai caminha até o banheiro e escancara a porta.

— Você está tomando pílula?

Ai, meu Deus.

Alana tenta tirá-lo do banheiro.

— Brian, na frente do garoto não.

Samson tira o pano do nariz e espreme os olhos para mim.

— *Garoto?* — sussurra. Pelo menos não perdeu o senso de humor.

— Acho que é melhor você ir — digo. — Isso está ficando muito constrangedor.

Samson assente, mas meu pai volta à porta do banheiro.

— Não estou te proibindo de fazer sexo. Você já é quase adulta. Só quero que você se proteja.

— Eu *sou* adulta. Não tem nada de *quase* adulta — devolvo.

Samson está parado junto a meu pai, que bloqueia toda a passagem. Não percebe que Samson está tentando se espremer junto à porta, para escapar.

— Só consigo sair por aqui — diz Samson a meu pai, apontando por sobre seu ombro. — Me deixe sair, por favor.

Ao perceber que está bloqueando a passagem, meu pai dá um passo para o lado.

— Desculpe pelo nariz.

Samson assente e vai embora. Eu queria poder fugir também, mas tenho certeza de que ainda há tentáculos presos à minha perna, e dói demais quando me mexo.

Meu pai volta a atenção a mim.

— Se você ainda não estiver tomando pílula, a Alana pode te ajudar.

— A gente não está... eu e o Samson não estamos... *deixa para lá.* — Eu me ergo da banheira. — Essa é uma conversa muito intensa, e a minha coxa parece que está derretendo. Será que a gente pode continuar depois, por favor?

Os dois assentem, mas meu pai vem andando atrás de mim.

— Pode perguntar à Sara. Somos muito abertos em relação a essas coisas, caso queira conversar.

— Agora eu já sei disso. Obrigada — respondo, subindo a escada até meu quarto.

Eita... então é essa a sensação de ter pais presentes? Não sei bem se estou gostando.

Sigo direto até a janela do quarto e observo Samson entrar em casa. Ele acende a luz da cozinha, debruça o corpo sobre a bancada e se encolhe todo, pressionando a testa no granito. Segura o pescoço com as duas mãos.

Não sei o que pensar disso. Será um sinal de arrependimento? Ou será só o transtorno de ter levado dois socos sem revidar? A reação dele neste momento me enche de perguntas. E sei que ele provavelmente não vai responder nenhuma. Ele é um cofre, e eu queria muito ter a chave.

Ou uns explosivos.

Quero uma desculpa para ir até lá, para olhá-lo de perto e entender por que ele está tão aborrecido. Preciso saber se é porque quase me beijou.

Será que tentaria de novo, se eu desse chance?

Quero dar chance. Desejo esse beijo quase tanto quanto não desejo.

Estou com o cartão de memória dele. Posso ir devolver. Só que ainda não olhei as fotografias. E quero muito ver, antes de devolver o cartão.

Sara tem um computador no quarto. Pego o cartão de memória na mochila e vou até o computador dela.

Espero vários minutos até que todas as imagens apareçam. São muitas. As primeiras são todas fotos de natureza. Todas as coisas que ele falou que fotografava. Incontáveis sóis, nascendo e se pondo. Registros da praia. Mas não são necessariamente imagens bonitas. São de uma tristeza apaziguante. A maioria tem o foco em algo aleatório, como um objeto descartado na água ou umas algas sobre a areia.

É interessante. Parece que ele leva o foco ao ponto mais triste da imagem capturada pela lente, mas de modo geral preservando a beleza da fotografia.

Minhas fotos começam a carregar. Há mais imagens do que imaginei, e ao que parece ele começou a me fotografar antes mesmo de eu passar para a frente da balsa.

Na maioria das imagens eu estou na lateral da balsa, sozinha, olhando o pôr do sol.

Em todas as fotos o foco está em mim. Nada mais. Com base em todas as outras fotos, suponho que ele tenha me considerado a parte mais triste daquele cenário.

Uma imagem em especial me impressiona demais. O foco, bem ampliado, repousa num pequeno rasgo nas costas de meu vestido, que eu nem sabia que existia. Mesmo focada em algo triste como minha roupa, a imagem é impressionante. Meu rosto está fora de foco, e se a imagem retratasse qualquer outra pessoa eu diria ser uma bela obra de arte.

Só que sinto uma imensa vergonha por ele ter prestado tanta atenção em mim antes que eu sequer notasse sua presença.

Percorro todas as imagens e percebo que não há um único registro meu comendo o pão. Fico pensando por que razão ele não fotografou aquele momento.

Isso diz muito a respeito dele. Eu me arrependo de ter reagido como reagi aquele dia na balsa, quando ele tentou me oferecer dinheiro. Samson talvez seja um ser humano decente, e as fotografias do cartão de memória reforçam isso.

Puxo o cartão do computador, e embora ainda esteja com dor e deseje me enfiar na cama e dormir, desço as escadas, saio de casa e cruzo o quintal. Samson sempre usa a porta dos fundos, então caminho até lá. Subo a escada e bato à porta.

Espero um pouco, mas não ouço passos, e do ponto onde estou também não consigo ver a cozinha. Mas ouço um barulhinho atrás de mim. Dou meia-volta e vejo P.J. sentado na escada, a me observar. Abro um sorrisinho. Que bom saber que ele ainda está por perto.

Depois de um momento, Samson abre a porta. Do momento em que eu o observava pela janela ao instante em que bati à sua porta, ele trocou de roupa. Está usando uma das camisetas da *HisPanic* de Marcos, que parece ser a única coisa que usa quando não está sem camisa. Gosto de ver seu entusiasmo pela empreitada de Marcos. A amizade dos dois é meio adorável.

Samson está descalço, e observo os pés dele, não sei por quê. Então ergo os olhos até seu rosto.

— Só vim trazer seu cartão de memória — digo, entregando o cartão a ele.

— Valeu.

— Não apaguei nada.

Samson entorta o cantinho esquerdo da boca.

— Imaginei que não fosse apagar.

Ele dá um passo para o lado e faz um gesto para que eu me aproxime. Espremida entre ele e o batente da porta, adentro a casa escura. Ele acende a luz. Tento disfarçar um arquejo, pois o interior da casa é ainda maior do que parece do lado de fora.

Tudo é branco, sem cor. As paredes, os armários, os acabamentos. O piso é de madeira escura, quase preta. Vou girando o corpo, admirando a beleza do ambiente, mas reconhecendo como essa casa não tem jeito de casa. Não tem alma aqui dentro.

— É meio... Estéril.

Assim que verbalizo isso, desejo não ter feito. Ele não pediu minha opinião a respeito de sua casa, mas é difícil não notar que ela parece não abrigar vida.

Samson dá de ombros, como se a minha opinião não o incomodasse.

— É uma casa de aluguel. São todas iguais. Bem genéricas.

— É tão limpa.

— Às vezes as pessoas alugam de última hora. Para mim é mais fácil deixar as casas preparadas. — Ele caminha até a geladeira, abre e abana a mão lá dentro. Está vazia, exceto por uns temperos na porta. — Nada na geladeira. Nada na despensa.

Ele fecha a porta da geladeira.

— Onde é que você guarda comida?

Ele aponta para um armário, perto da escada que leva ao andar de cima.

— As coisas que queremos deixar inacessíveis aos locatários a gente guarda naquele armário. Lá tem um frigobar. — Ele aponta para uma mochila junto à porta. — O resto das minhas coisas fica naquela mochila. Quanto menos eu tenho, mais fácil é me deslocar entre as propriedades.

Eu já o vi com essa mochila algumas vezes, mas não dei muita atenção. É meio irônico que nós dois transportemos a vida numa mochila, apesar do abismo social que nos separa.

Olho para uma moldura na parede próxima à porta. É a única coisa que confere personalidade à casa. Vou andando até lá. É a fotografia de um garotinho, de seus três anos de idade, caminhando na praia. Atrás dele há uma mulher de vestido branco e florido. Está sorrindo para o fotógrafo, seja lá quem for.

— Essa é a sua mãe?

Parece aquelas fotos de família perfeita que ilustram os porta-retratos à venda.

Samson faz que sim.

— Então esse é você? Pequenininho?

Ele faz que sim outra vez.

O cabelinho do menino é tão loiro, que parece branco. Agora está mais escuro, mas eu ainda o consideraria loiro. Não sei se no inverno fica tão claro. Parece o tipo de cabelo que muda a cada estação.

Eu me pergunto como será o pai de Samson, mas não vejo nenhuma fotografia dele. Esta é a única foto que vejo ao meu redor.

Encaro a imagem e sou invadida por muitas outras perguntas. A mãe dele parece feliz. Ele parece feliz. O que será que aconteceu para torná-lo tão reservado e recolhido? Será que a mãe dele morreu? Duvido que ele falaria a respeito se eu perguntasse.

Samson acende outras lâmpadas e se apoia no balcão da cozinha. Não sei como ele pode parecer tão displicente, sendo que todos os meus músculos estão rígidos de tanta tensão.

— A sua perna está melhor? — pergunta ele.

Percebo que ele não quer falar da foto, nem da mãe, nem de nada que desvende uma camada mais profunda. Entro na cozinha e paro à frente dele, debruçada do outro lado da grande bancada. É onde Cadence estava sentada umas noites atrás, quando vi os dois se beijando.

Afasto o pensamento.

— Um pouco. Mas duvido que eu tenha coragem de entrar na água outra vez.

— Você vai ficar bem. É raro isso acontecer.

— Pois é, foi o que você disse mais cedo, e daí aconteceu.

Ele sorri.

Desejo retornar ao nosso momento. Quero a sensação que tive quando ele me puxou para perto e beijou meu ombro. Mas não sei como recuperar. Está tão claro aqui. A atmosfera está diferente da que pairava no mar.

Acho que talvez eu não goste desta casa.

— E o seu rosto, como está? — pergunto, e ele corre a mão pela mandíbula.

— A mandíbula dói mais que o nariz. — Ele baixa a mão e a segura a lateral da bancada. — O seu pai foi bacana.

— Acha que ele foi bacana por ter te atacado?

— Não. Acho que o jeito como ele te protegeu foi bacana.

De fato, eu não tinha pensado nisso. Meu pai não pensou duas vezes ao ouvir meu pedido para que ele parasse. Só não sei ao certo se foi por proteção a mim. Ele teria protegido qualquer pessoa nessa situação, tenho certeza.

— Onde é que você fica quando esta casa é alugada? — pergunto, para mudar de assunto.

— A gente só aluga quatro casas por vez, então eu sempre tenho onde ficar. Esta aqui é a mais cara, então sempre acaba ficando menos tempo alugada. Passo setenta e cinco por cento do tempo aqui.

Olho em volta, tentando encontrar algo similar à fotografia, que me dê uma pista sobre o passado dele. Não encontro nada.

— É meio irônico — comento. — Você tem cinco casas, mas nenhuma é sua casa de verdade. A geladeira fica vazia. Você guarda suas coisas numa mochila. É surpreendente, mas de fato nós vivemos vidas muito parecidas.

Ele não responde. Apenas me observa. Faz muito isso, e eu gosto. Não me interessa o que ele pensa ao me olhar. Só gosto de saber que ele me considera intrigante a ponto de me encarar, mesmo que seus pensamentos não sejam totalmente positivos. Significa que ele me *vê*. Não estou acostumada a ser vista.

— Qual é o seu sobrenome? — indago.

Samson parece achar graça.

— Você pergunta demais.

— Eu avisei que perguntaria.

— Acho que agora está na minha vez.

— Mas não consegui descobrir nada. Suas respostas são horríveis.

Ele não discorda, mas também não responde. Espreme o cantinho dos olhos e pensa em sua própria pergunta.

— O que você pretende fazer da vida, Beyah?

— Que pergunta abrangente. Parece um orientador educacional.

Ele dá uma risadinha, e eu sinto um frio na barriga.

— O que você vai fazer depois que o *verão* acabar? — explica ele.

Eu reflito. Será que devo ser honesta? Se eu for honesta, talvez ele se abra um pouco mais comigo.

— Eu até conto, mas você não pode falar para ninguém.

— É segredo?

Concordo com a cabeça.

— É.

— Não vou falar para ninguém.

Eu confio nele. Não sei o motivo, visto que não confio em ninguém. Ou sou uma idiota, ou estou profundamente atraída por ele, e não fico feliz com nenhuma das opções.

— Ganhei uma bolsa integral na Universidade da Pensilvânia. Me mudo para a república no dia três de agosto.

Ele ergue de leve a sobrancelha.

— Você ganhou uma bolsa?

— Ganhei.

— Por conta de quê?

— Voleibol.

Ele faz aquela coisa com os olhos, vai me olhando de cima a baixo. Não de um jeito sedutor, mas curioso.

— Dá para ver. E que parte disso é segredo? — pergunta, ao tornar a encontrar meus olhos.

— Tudo. Eu não contei a ninguém. Nem ao meu pai.

— O seu próprio pai não sabe que você conseguiu uma bolsa?

— Não.

— Por que você não disse a ele?

— Porque isso faria ele pensar que fez alguma coisa certa. E eu precisei lutar por essa bolsa justamente porque ele fez tudo errado.

Samson assente, como se entendesse do que estou falando. Desvio os olhos um instante, pois meu corpo todo esquenta quando eu o encaro demais. Temo que fique muito óbvio.

— O voleibol é a sua paixão?

Eu me detenho na pergunta. Ninguém nunca me perguntou isso antes.

— Não. Para ser honesta, eu nem gosto tanto assim.

— Por que não?

— Sempre me esforcei porque sabia que era a única rota de saída da cidade onde cresci. Mas ninguém nunca ia me ver jogar, então o esporte em si começou a ficar meio deprimente. As meninas da minha equipe recebiam os pais em todos os jogos, para torcer por elas. Eu nunca tinha ninguém me incentivando, e acho que isso impediu que eu amasse o esporte tanto quanto poderia. — Dou um suspiro e largo mais alguns pensamentos ao vento. — Às vezes fico pensando se estou fazendo a coisa certa em me submeter a mais quatro anos disso. Integrar uma equipe de pessoas com vidas tão diferentes da minha às vezes me traz uma solidão ainda maior do que não fazer parte de equipe nenhuma.

— Você não está animada para ir?

Dou de ombros.

— Estou orgulhosa de mim por ter conseguido a bolsa. E estava animada para sair do Kentucky. Mas, agora que estou aqui e tive a primeira trégua do voleibol depois de tantos anos, acho que não sinto falta. Estou começando a pensar se não devia ficar por aqui e arrumar um emprego. Tirar um ano *sabático*, quem sabe.

A última frase sai com um toque de sarcasmo, mas bem que começa a parecer bastante atraente. Passei muitos anos me esforçando feito uma condenada para sair do Kentucky. Agora que saí, sinto que preciso respirar. Reavaliar a minha vida.

— Você está pensando em abrir mão de uma bolsa numa universidade ótima só porque o esporte que te levou até lá às vezes te traz solidão? — pergunta ele.

— A sensação é mais complicada do que você está dando a entender.

— Quer saber o que eu acho?

— O quê?

— Acho que você devia usar um protetor auricular durante os jogos e simplesmente fingir que todo mundo está lá torcendo por você.

Dou uma risada.

— Achei que você fosse dizer algo profundo.

— Achei que isso *fosse* profundo — responde ele, com um sorriso, e percebo que sua mandíbula está arroxeada. Mas ele fecha o sorriso e inclina um pouco a cabeça. — Por que você chorou na sacada, na noite em que chegou aqui?

Ao ouvir essa pergunta, fico tensa. É um salto muito distante da conversa sobre voleibol. E não sei como responder. Ainda mais num lugar tão iluminado. Talvez, se este recinto não parecesse uma sala de interrogatório, eu me sentisse mais à vontade.

— Você pode apagar alguma dessas luzes? — pergunto, e ele parece confuso com o meu pedido. — Está muito claro aqui. Estou ficando desconfortável.

Samson vai até os interruptores e desliga todos, menos um. As luzes que adornam os armários ainda estão acesas, então o ambiente fica bem mais escuro, e eu relaxo quase no mesmo instante. E compreendo por que ele mantém a casa escura. A iluminação agressiva e as paredes muito brancas dão a sensação de um hospital psiquiátrico.

Ele retorna a seu lugar na bancada.

— Está melhor?

Faço um gesto em sinal positivo com a cabeça.

— Por que você estava chorando?

Solto o ar numa bufada, e desabafo antes que eu mude de ideia e decida mentir.

— A minha mãe morreu na véspera de eu vir para cá.

Samson não demonstra qualquer reação. Estou começando a achar que talvez a falta de reação *seja sua forma* de reagir.

— Isso também é segredo — digo. — Ainda não contei ao meu pai.

A expressão dele é séria.

— Como foi que ela morreu?

— Overdose. Encontrei o corpo quando cheguei do trabalho.

— Eu sinto muito — diz Samson, com sinceridade. — Você está bem?

Dou de ombros, meio indecisa, e parece que alguns dos sentimentos que me fizeram chorar na sacada começam a me invadir outra vez. Eu não estava preparada para falar disso. Não queria, honestamente. Sendo bem sincera, não acho que seja justo que eu não consiga deixar de responder às perguntas dele, mas ele não se abra em relação a nada.

Perto dele eu me sinto feito uma cachoeira, desabando aos borbotões e espalhando meus segredos.

Ao ver meus olhos se encherem de lágrimas, a expressão de Samson ganha um ar de empatia.

Ele se afasta da bancada e começa a vir em minha direção, mas no mesmo instante eu enrijeço as costas e balanço a cabeça. Estendo a mão contra o peito dele, impedindo que ele me toque.

— Não. Não me abrace. Vai parecer condescendente, agora que você sabe que nunca fui abraçada desse jeito.

Samson balança a cabeça bem de leve e me encara.

— Eu não ia te abraçar, Beyah.

Seu rosto está tão próximo do meu, que sinto o sopro de sua respiração quando ele fala. Sinto-me quase deslizando até o chão, então seguro a pontinha da bancada atrás de mim.

Ele baixa a cabeça até tocar os lábios nos meus. Sua boca é suave, feito um pedido de desculpas, e eu aceito.

Ele empurra minha boca com a língua; eu o recebo, puxo-o para mim e entrelaço os dedos em seus cabelos. Nossos corpos se encontram, e uma língua desliza na outra, quentes, macias e molhadas.

Eu quero este beijo, por mais que só esteja acontecendo porque ele tem atração por coisas tristes.

Ele me puxa mais para perto. Num movimento ligeiro, ergue meu corpo por sobre a bancada e me acomoda entre suas pernas. Desliza a mão esquerda por minha coxa, escorrega os dedos pela parte interna.

Sou invadida por sensações que não costumo sentir. Calor, luz, energia.

E isso me assusta.

O beijo dele me assusta.

Não sou impenetrável a essa boca. Sou vulnerável, e me sinto baixar a guarda. Eu entregaria todos os meus segredos a ele agora, e não sou assim. Seu beijo é tão potente, que me transforma em alguém que não reconheço. Que amo, e ao mesmo tempo odeio.

Por mais que eu tente manter o foco no presente, é difícil não evocar a imagem do que aconteceu entre ele e Cadence. Não quero ser só mais uma garota que ele agarra na bancada da cozinha.

Não sei bem se conseguiria lidar com ser descartada por Samson como fui por Dakota. Prefiro não ser beijada a permitir que isso torne a acontecer, que eu olhe pela janela do meu quarto e veja alguém neste mesmo lugar, sentindo as mesmas coisas que ele está me fazendo sentir agora.

As mesmas coisas que Dakota me fez sentir, imediatamente antes de se afastar de mim e arruinar vários anos de minha vida com um único gesto.

Meu Deus, e se o Samson se afastar e me olhar como o Dakota me olhou aquela noite, em sua picape?

O pensamento me deixa nauseada.

Preciso de ar. Preciso de ar fresco. Que não seja dos pulmões dele, nem desta casa estéril.

Interrompo o beijo abruptamente, sem aviso. Empurro Samson e desço da bancada, deixando-o confuso. Evito seu olhar e corro até a porta. Saio da casa e agarro o parapeito da sacada, tentando respirar.

Já passei muitas coisas na vida, e não quero ver um cara mudar tudo o que mais aprecio em mim mesma. Sempre tive orgulho da minha determinação impenetrável, mas ele tem o poder de se infiltrar em mim, de alguma forma, como se eu fosse cheia de buraquinhos. Dakota nunca tocou tão fundo dentro de mim.

Ouço Samson vindo atrás de mim. Não me viro para encará-lo. Respiro fundo outra vez, então fecho os olhos. Mas posso senti--lo perto. Quieto, introvertido, sexy, contido. *Por que interrompi o beijo, então?*

Acho que talvez Dakota tenha me estragado.

Quando abro os olhos, Samson está debruçado no parapeito, encarando o chão.

Nossos olhares se encontram, e é como se eu visse meus próprios medos me encarando de volta. Não desviamos os olhos. Nunca encarei tanto alguém em silêncio quanto já fiz com ele. Olhamos muito e falamos pouco, mas as duas coisas parecem igualmente produtivas. Ou improdutivas. Não sei nem o que pensar sobre o que está acontecendo entre nós. Em certos momentos parece grandioso, importante, e em outros parece a coisa mais ínfima.

— Foi o pior momento para te beijar — diz ele. — Me desculpa.

Acho que muita gente concordaria que beijar uma garota logo depois de ela contar que a mãe morreu — ou *por causa* disso — é um péssimo movimento.

Talvez eu seja doida das ideias, mas achei perfeito. Até que deixou de ser.

— Não foi por isso que eu saí.

— O que houve, então?

Solto um suspiro silencioso, pensando em como responder. Não quero mencionar meu medo de que ele no fundo não seja melhor que Dakota. Não quero mencionar Cadence, nem o fato de que ele só fica com garotas que vêm passar o fim de semana. Ele não me deve nada. Fui eu quem bati à porta dele, querendo que isso acontecesse.

Balanço a cabeça.

— Não quero responder isso.

Ele dá meia-volta e se debruça no parapeito, ao meu lado. Cutuca uma lasca de tinta e puxa, até revelar um pedacinho de madeira crua. Dá um peteleco na lasca, e nós observamos o fragmento voar até cair no chão.

— Minha mãe morreu quando eu tinha cinco anos — diz ele. — A gente estava nadando a uns oitocentos metros daqui, e ela foi levada pela maré. Quando conseguiram resgatar, não deu mais tempo.

Ele me olha, certamente para avaliar minha reação. Mas não é o único capaz de esconder bem as emoções.

Tenho a sensação de que ele não disse isso a muita gente. Segredo por segredo. Talvez seja assim que vai ser. Talvez seja assim que vou conseguir remover as camadas de Samson — só depois de remover as minhas próprias.

— Que coisa terrível — sussurro.

Mantenho os braços cruzados sobre o parapeito, mas me inclino de leve para perto dele. Pressiono a boca em seu ombro. E o beijo bem ali, como ele fez comigo dentro da água.

Quando me afasto, ele leva a mão ao meu rosto. Corre o polegar por minha bochecha, mas inclina a cabeça para tentar me beijar outra vez, e eu no mesmo instante me afasto.

Eu me encolho, pois sinto vergonha de minha própria indecisão.

Ele se afasta do corrimão, alisa o cabelo e me olha, atrás de uma explicação. Sei que estou dando sinais muito confusos, mas é um reflexo do que está se passando dentro de mim. Eu me sinto mexida e caótica, como se meus sentimentos atuais e as experiências passadas tivessem sido jogados todos num liquidificador ligado na potência máxima.

— Me desculpa — digo, frustrada comigo mesma. — Não tive experiências muito boas com os homens, então me sinto...

— Hesitante? — sugere ele.

Gesticulo a cabeça positivamente.

— Isso. E confusa.

Ele começa a cutucar a madeira, no mesmo ponto de antes.

— Qual foi a sua experiência com os homens?

Solto uma risada apática.

— *Homens* é um exagero. Só fiquei com um.

— Achei que você tivesse dito que nunca sofreu uma dor de amor.

— E não sofri. Não foi esse tipo de experiência.

Samson me olha de soslaio, esperando que eu elabore. Não há como elaborar isso.

— Ele te forçou a fazer algo que você não queria? — pergunta Samson, com a mandíbula cerrada, como se já tomado pela raiva.

— Não — respondo rapidamente, para que ele tire essa ideia da cabeça. Então penso em minha vida no Kentucky e no tempo que passei com Dakota. Agora que já saí daquela situação, enxergo as coisas de um jeito diferente.

Dakota nunca me forçou a fazer nada. Mas com certeza não facilitou as coisas para mim. Em termos de vantagem, ocupávamos posições muitíssimo desiguais.

Pensar nisso é revolver pensamentos obscuros. Sensações obscuras. Lágrimas começam a me arder os olhos, e Samson percebe que prendo o ar para tentar contê-las. Ele se vira de costas para o parapeito, para ver meu rosto melhor.

— O que aconteceu com você, Beyah?

Dou uma risada, pois é absurdo que eu sequer esteja pensando nisso agora. Na maior parte do tempo, faço uso de meus talentos para não pensar a respeito. Sinto uma lágrima descer por meu rosto. E esfrego, mais que depressa.

— Não é justo — sussurro.

— O quê?

— Por que é que eu acabo querendo responder todas as perguntas que você me faz?

— Você não precisa me contar o que aconteceu.

Faço contato visual com ele.

— Mas eu quero.

— Então conta — devolve Samson, com delicadeza.

Olho tudo à minha volta, menos ele. Olho o teto da sacada, o chão, o oceano à minha frente.

— O nome dele era Dakota. Eu tinha quinze anos. Estava no primeiro ano do ensino médio. Ele estava no último. O cara com quem todas as garotas da escola queriam ficar. O cara que todos os outros queriam ser. Eu tinha uma quedinha por ele, como todo mundo. Nada de mais. Daí, uma noite, ele me viu andando para casa depois de uma partida de vôlei e me ofereceu carona. Recusei, por vergonha de que ele visse onde eu morava, por mais que todo mundo soubesse. Mas ele me convenceu a entrar na picape mesmo assim.

Resolvo olhar de volta para Samson. Ele está outra vez com a mandíbula tensa, como se esperasse que a história tomasse o rumo que ele havia suposto. Mas não toma.

Nem sei por que estou contando isso a ele. Talvez seja um desejo inconsciente de que depois de ouvir a história ele me deixe em paz pelo resto do verão, e eu me livre dessa intensa e constante distração.

Ou talvez eu queira que ele me diga que não fiz nada de errado.

— Ele me levou para casa, e passamos meia hora conversando. Ele se sentou na entrada da minha garagem e não me julgou. Me escutou. Conversamos sobre música e voleibol e como ele odiava ser filho do delegado de polícia. Então... ele me beijou. E foi perfeito. Por um instante, achei que o que eu imaginava que os outros pensavam de mim talvez não fosse verdade.

Samson ergue as sobrancelhas.

— Por que só por um instante? O que aconteceu depois que ele te beijou?

Eu sorrio, mas não porque é uma lembrança afetuosa. Sorrio porque a lembrança me traz uma sensação de ignorância. Como se eu não pudesse ter esperado outra coisa.

— Ele puxou duas notas de vinte da carteira e me entregou. E abriu o zíper da calça jeans.

A expressão de Samson é vaga. A maioria das pessoas presumiria ser esse o fim da história. Presumiria que eu tinha devolvido o dinheiro a Dakota e saído da picape. Mas, pelo olhar de Samson, vejo que ele sabe que não foi bem assim.

Cruzo os braços na frente do peito.

— Quarenta dólares era muito dinheiro — digo, enquanto outra lágrima desce por meu rosto. No último instante, faz uma curva e cai em meu lábio. Consigo sentir o gosto salgado quando a afasto. — Depois disso, ele passou a me dar carona uma vez por mês. Nunca falava comigo em público. Mas eu nem esperava isso. Eu não era o tipo de garota com quem ele podia desfilar pela cidade. Era o tipo de garota sobre quem ele não contava nem para os amigos mais próximos.

Desejo que Samson diga alguma coisa, pois enquanto ele só me encara eu continuo balbuciando.

— Então, respondendo a sua pergunta, não, ele não me forçou a fazer nada. Para ser honesta, ele nunca nem jogou isso na minha cara. Até que era um cara decente, comparado aos...

— Você tinha quinze anos quando aconteceu pela primeira vez, Beyah — interrompe Samson. — Não chama esse cara de *decente*.

O final de minha frase fica entalado na garganta, então engulo em seco.

— Um cara decente teria te oferecido dinheiro sem esperar nada em troca — continua ele. — O que ele fez foi... — Samson parece tomado de repulsa. Não sei bem se é por Dakota ou por mim. Ele corre a mão frustrada pelo cabelo. — Aquele dia, na balsa, quando te dei dinheiro... foi isso o que você pensou...

— Foi — respondi, baixinho.

— Você sabe que não era a minha intenção, né?

Concordo com a cabeça.

— Agora eu sei. Mas, mesmo assim... fiquei com medo quando você me beijou. Por isso vim aqui para fora. Temi que você me olhasse do mesmo jeito que o Dakota. Prefiro não ser beijada nunca mais a me sentir tão sem valor.

— Eu te beijei porque gosto de você.

Fico pensando se isso é verdade. Será que são palavras honestas ou convenientes? Será que ele já disse isso antes?

— Você gosta da Cadence também? E de todas as outras garotas com quem já ficou?

Não estou querendo jogar na cara dele. Estou curiosa de verdade. Como é que uma pessoa se sente quando beija outras com tamanha frequência?

Samson parece não se ofender com minha pergunta, mas ainda sinto que o deixei desconfortável. Ele enrijece um pouquinho a postura.

— Sinto atração por elas. Mas com você é diferente. Um tipo de atração diferente.

— Melhor ou pior?

Ele para e reflete um instante.

— Mais assustadora.

Dou uma risada curta. Acho que não deveria tomar isso como um elogio, mas tomo, pois quer dizer que ele está provando um pouco do medo que eu mesma sinto quando estamos juntos.

— Você acha que as garotas com quem fica gostam da sua companhia? — pergunto. — O que é que elas ganham com uma ficada de fim de semana?

— A mesma coisa que eu.

— O quê?

Agora é muito evidente o desconforto de Samson. Ele suspira e se debruça outra vez sobre o parapeito.

— Você não gostou do nosso beijo de mais cedo?

— Gostei — respondo. — Mas ao mesmo tempo não.

Eu me sinto à vontade em sua presença isenta, e é confuso, pois se eu me sinto à vontade e atraída, por que entrei em pânico quando ele me beijou?

— Esse Dakota pegou uma coisa que deveria ser gostosa e transformou numa vergonha para você. Não é assim com todas as garotas. As garotas com quem eu estive... elas aproveitam tanto quanto eu. Se não, não permitiriam que acontecesse.

— Eu gostei um pouquinho — admito. — Só não o tempo todo. Mas a culpa não foi sua, óbvio.

— Também não foi culpa sua. E não vou te beijar outra vez. Só se você me pedir.

Não digo nada. Não entendo como isso pode parecer ao mesmo tempo um cavalheirismo e uma punição.

Ele abre um sorriso gentil.

— Não vou te beijar, não vou te abraçar, não vou te levar de novo para o mar.

— Meu Deus, que divertida que eu sou — respondo, revirando os olhos.

— É mesmo, não tenho dúvida. E eu, então? Só que a gente carrega muita coisa nos ombros, e não tem como saber como somos quando não estamos sob pressão.

Eu assinto, concordando totalmente.

— A Sara e o Marcos são divertidos. Mas... eu e você? Somos só... deprimentes.

Samson ri.

— Deprimentes, não. Somos profundos. Tem uma diferença.

— Se você diz...

Não sei como conseguimos terminar esta noite e esta conversa com os dois sorrindo. Mas receio que, se não for embora agora, um de nós vai acabar estragando o momento. Dou um passo e me afasto dele.

— Nos vemos amanhã?

O sorriso dele se esvai.

— A-hã. Boa noite, Beyah.

— Boa noite.

Vou andando e desço a escada. Queijo Pepper Jack se levanta e vem atrás de mim. Quando chegamos ao térreo de minha casa, eu me viro e olho para ele. Samson ainda não entrou. Está debruçado no parapeito da sacada, olhando para mim. Dou mais uns passos em direção à casa.

Quando ele sai do meu campo de visão, paro de andar e me apoio numa das pilastras. Fecho os olhos e corro a mão pelo rosto. Não vou conseguir passar o verão todo ao lado dele e não querer ser totalmente consumida. Mas também não quero ser consumida por alguém de quem em breve terei que me despedir.

Às vezes posso até me sentir invencível, mas não sou a Mulher--Maravilha.

•

Quando entro em casa, Alana está na cozinha. Está em frente à bancada, com uma taça de sorvete. Tira a colher da boca e sorri para mim.

— Está se sentindo melhor?

— Estou. Obrigada.

— E o Samson? Ele está bem?

Assinto com a cabeça.

— Está bem. Falou que meu pai nem é tão forte assim.

Alana ri.

— Fiquei surpresa em ver essa atitude nele. Não sabia que ele guardava isso dentro de si. — Ela aponta para o sorvete. — Quer um pouco?

Realmente, um pote de sorvete neste momento vai ser o paraíso. Preciso me esfriar um pouco.

— Eu adoraria.

Alana pega uma tacinha no armário, e eu me sento. Ela tira o pote de sorvete do congelador e serve um pouco.

— Desculpe se a gente constrangeu você mais cedo.

— Tudo bem.

Alana empurra a taça de sorvete sobre a bancada. Provo um pouco, e é tão gostoso que sinto vontade de gemer. Mas como em silêncio, como se sorvete fosse algo corriqueiro em minha vida. Na realidade, nunca nem tivemos sorvete em casa. Aprendi a não guardar muita coisa congelada, pois quando a luz é cortada por falta de pagamento é uma desgraça ter um congelador cheio de comida derretida e estragada para limpar.

— Posso te fazer uma pergunta? — diz Alana.

Eu assinto, mas não tiro a colher da boca. Estou nervosa pelo que ela vai perguntar. Só espero que não pergunte sobre minha mãe. Alana parece bacana, e não sei ao certo se posso mentir para ela, mas certamente não quero contar a verdade neste momento.

— Você é católica?

Por essa eu não esperava.

— Não. Por quê?

Ela estende a mão para o teto.

— Vi a imagem da Madre Teresa no seu quarto.

— Ah. Não. É só... é tipo uma recordação.

Ela meneia a cabeça.

— Então você não tem uma religião que pregue contra os métodos contraceptivos.

Ah, pronto. Desvio o olhar para o sorvete.

— Não. Mas atualmente não estou tomando nada. Eu não estou... você sabe.

— Com vida sexual ativa? — Ela fala de um jeito tão corriqueiro.

— Isso. Não mais, pelo menos.

— Bom. Que bom saber. Mas, se ao longo do verão você perceber que essa situação pode mudar, não é má ideia estar preparada. Posso marcar uma consulta para você.

Dou outra colherada no sorvete, para adiar a resposta. Ela deve estar vendo o rubor em meu rosto.

— Não há nada de que se envergonhar, Beyah.

— Eu sei. Só não estou acostumada a conversar sobre essas coisas.

Num gesto displicente, Alana joga a colher na taça vazia e caminha até a pia.

— Sua mãe nunca conversa com você?

Furo a bola de sorvete.

— Não.

Ela se vira e me olha por um instante, em silêncio.

— Como é que ela é?

— Minha mãe?

Ela assente.

— Isso. Seu pai nunca chegou a conhecê-la direito, e tenho curiosidade. Parece que ela te criou muito bem.

Dou uma risada.

Preferia não ter rido, pois percebo que minha reação fez brotar em Alana uma dúzia de outras perguntas. Abocanho outra colherada no sorvete e dou de ombros.

— Ela é bem diferente de você.

Minha intenção era fazer um elogio, mas Alana parece confusa com minha resposta. Espero que ela não tenha levado como insulto, mas na verdade não quero me aprofundar ainda mais nessa história, senão vou acabar contando a verdade. Quero guardar a notícia sobre minha mãe para meu pai. Sinto que devo contar a ele antes de dizer a Alana.

Eu devia ter contado a ele antes de falar com Samson, lógico. Mas, por alguma razão, parece que não consigo segurar meus segredos quando estou perto de Samson.

Empurro a taça de sorvete, ainda pela metade.

— Quero começar a tomar pílula, sim. Não que o Samson e eu estejamos... — Olho para o teto e solto um suspiro. — Você entendeu. Mas quero estar segura, só por garantia.

Meu Deus, como é difícil falar disso. Ainda mais com uma mulher que é quase uma estranha.

Alana sorri.

— Amanhã marco uma consulta. Sem problemas.

— Valeu.

Alana se vira para lavar minha taça. Aproveito o ensejo e escapo rumo à minha privacidade no andar de cima. Quando estou quase entrando no quarto, escuto Sara:

— Espera aí, **Beyah**. Quero o relatório detalhado.

Paro e olho o quarto dela. A porta está aberta, e ela está sentada na cama com Marcos. Olha para ele e o dispensa com um abano de mão.

— Já pode ir para casa.

Ele faz uma cara de quem não está acostumado a ser dispensado.

— Beleza, então. — Ele se levanta, inclina o corpo e beija Sara. — Eu te amo, mesmo você me expulsando.

Ela sorri.

— Também te amo, mas agora tenho uma irmã, então você vai ter que me dividir. — Ela dá uma batidinha no colchão onde Marcos estava e olha para mim. — Vem cá.

Marcos me cumprimenta ao sair do quarto de Sara.

— Fecha a porta — diz Sara a ele. Vou até a cama e me sento. Ela pausa o programa de tevê e se posiciona de frente para mim. — Como é que foi?

Eu me recosto na cabeceira da cama.

— Sua mãe me encurralou com sorvete na cozinha e perguntou sobre a minha vida sexual.

Sara revira os olhos.

— Nunca caia no truque do sorvete. Ela usa comigo o tempo todo. Mas não estou falando disso, e você sabe muito bem. Eu te vi andando até a casa do Samson mais cedo.

Penso se devo contar a Sara que nos beijamos, mas parece que é melhor guardar essa informação por enquanto. Pelo menos até eu descobrir se quero que aconteça de novo.

— Não rolou nada.

Ela murcha e se deita de costas.

— Aff. Quero os detalhes sórdidos.

— Não tem nenhum. Foi mal.

— Você pelo menos tentou flertar com ele? — pergunta ela, sentando-se de volta. — O Samson não precisa de muito estímulo para meter a boca numa garota. Se tiver peito e respirar, para ele já está bom.

Meu estômago vem até a boca com esse comentário.

— Esse comentário é para me fazer ficar com vontade? Porque não está ajudando em nada.

— Estou exagerando. Ele é rico e gostoso, então as garotas se jogam em cima, e às vezes ele pega. Que cara não pegaria?

— Não me jogo em cima de ninguém. Eu evito gente.

— Mas você foi até a casa dele.

Ergo uma sobrancelha, mas não respondo.

Sara sorri, como se para ela isso bastasse.

— De repente a gente podia sair de casal amanhã à noite.

Não quero encorajá-la, mas também não sei se me oponho à ideia.

— Vou levar seu silêncio como um sim — diz ela.

Dou uma risada, então solto um grunhido e cubro o rosto com as mãos.

— Argh. Isso é tudo tão confuso. — Abaixo os braços e me deito de barriga para cima, encarando o teto. — Acho que estou dando muita importância a isso. Fico tentando refletir sobre todas as razões pelas quais essa não é uma boa ideia.

— Fale algumas — diz Sara.

— Não sou boa de relacionamentos.

— Nem o Samson.

— Vou embora em agosto.

— O Samson também.

— E se a despedida for dolorosa?

— Vai ser, provavelmente.

— Então por que é que eu ia querer me sujeitar a isso?

— Porque na maioria das vezes a diversão que conduz à dor vale super a pena.

— Sei lá. Eu nunca me diverti.

— Pois é, dá para ver. Sem ofensa.

— Não me ofendi.

Viro a cabeça e olho para Sara. Ela está deitada de lado com a cabeça apoiada na mão.

— Nunca gostei de ninguém antes. Se isso acontecer, será que vou sofrer muito quando o verão terminar?

Sara balança a cabeça.

— Para com isso. Você está antecipando demais. O verão foi feito para a gente pensar no presente, e apenas no presente. Não no passado, nem no futuro. Pense em hoje. O que é que você quer agora?

— Agora? — pergunto.

— Isso. O que é que você quer agora?

— Outra taça de sorvete.

Sara se senta e abre um sorriso.

— Caramba, eu adoro ter uma irmã.

E adoro ver que Sara nem estremeceu quando mencionei o sorvete. Talvez eu não seja tão ruim para ela quanto pensei que fosse. Posso não ser tão alegre e animada como ela, mas saber que ela está gostando de comer e não parece tão preocupada com o peso quanto estava quando cheguei me faz pensar que eu talvez tenha algo a oferecer a essa amizade.

É uma sensação nova: a ideia de que talvez minha presença valha a pena.

Treze

O alarme do meu celular dispara antes mesmo de o sol aparecer.

Eu devia cancelar essa porcaria, mas há algo de empolgante em assistir ao nascer do sol e de quebra conseguir ter um vislumbre de Samson.

Saio da cama me arrastando. Deixo no corpo a camiseta com que dormi e visto um short, só para o caso de Samson estar do lado de fora da sacada.

Faz dez segundos que acordei e já pensei nele duas vezes. Minha recusa de ontem à noite não parece estar ajudando em nada.

Abro a porta de minha sacada.

Então, solto um grito.

— Shh — diz Samson, rindo. — Sou eu.

Ele está sentado no sofá de palha, com as pernas apoiadas no parapeito à frente. Levo a mão ao peito e solto um suspiro, para me acalmar.

— O que você está fazendo aqui?

— Esperando você — responde ele, num tom casual.

— Como é que você conseguiu subir?

— Eu pulei. — Ele ergue o braço e me mostra o cotovelo. Está sujo de sangue. — Era mais longe do que parecia da minha janela, mas consegui.

— Você é louco?

Ele dá de ombros.

— Se não tivesse conseguido, a queda não seria tão alta. Eu teria ido parar na sacada do andar inferior.

É verdade. Ele não teria caído no chão, por conta da planta da casa, mas mesmo assim. Entre as duas casas há quase um metro de distância sem nada embaixo.

Eu me sento ao lado dele. O sofá é de dois lugares, mas ainda assim é pequeno, então nossos corpos se tocam. Acho que era esse o objetivo, ou ele teria escolhido uma das poltronas.

Inclino a cabeça para trás e me recosto. De alguma forma, acabo me aproximando mais dele do que pretendia. Minha cabeça agora repousa em seu antebraço, mas não parece estranho.

Ambos encaramos a diminuta faixa de sol que começa a despontar por sobre a água.

Passamos vários minutos juntos, em silêncio, observando o sol nascer. Devo dizer que é mais gostoso ver o dia nascer com Samson em minha sacada do que quando estamos cada um em uma casa.

Samson apoia o queixo em meu cocuruto. É um movimento sutil, mas mesmo essa pequenina e silenciosa demonstração de afeto me atinge feito uma explosão. Não sei como tudo dentro de mim pode estar gritando tão alto, enquanto uma parte do mundo ainda está dormindo.

Agora já dá para ver uns três quartos de sol. A parte de baixo ainda parece imersa no mar.

— Preciso ir; estou ajudando um cara a consertar uma passagem entre dunas na ilha. Quero terminar o trabalho antes que o calor aumente. Quais são os seus planos?

— Voltar para a cama e dormir até o meio-dia. Acho que a Sara quer ir para a praia de tarde.

Ele passa o braço por trás do encosto da cadeira e se levanta. Meus olhos o acompanham. Antes de sair, ele me olha.

— Você contou à Sara que a gente se beijou?

— Não. A gente está tentando esconder deles?

— Não. Eu só estava curioso para saber se você tinha dito a ela. Não sabia se o Marcos ia tocar no assunto hoje. E quero alinhar nossas respostas.

— Não contei para ela.

Ele assente, vai até o parapeito e se vira outra vez.

— Eu não ligo. Não foi por isso que eu perguntei.

— Para de se preocupar com os meus sentimentos, Samson.

Ele afasta o cabelo da testa.

— É mais forte do que eu.

Ele caminha para trás, lentamente.

— O que é que você está fazendo? Vai pular de novo?

— Não é tão longe assim. Eu consigo.

Reviro os olhos.

— Todo mundo ainda está dormindo. Desce a escada e sai pela porta da frente, antes que você quebre o braço.

Ele olha o cotovelo coberto de sangue.

— É, talvez seja melhor.

Eu me levanto e entro no quarto com ele. Já quase na porta, ele para e olha a imagem da Madre Teresa em minha cômoda.

— Você é católica? — pergunta.

— Não. Só estranhamente sentimental.

— Jamais imaginei que você fosse sentimental.

— Por isso o "estranhamente".

Ele ri e vem atrás de mim. Na base da escada, paramos.

Meu pai está de pé na cozinha, em frente a um bule de café. Arrasta os olhos até a escada e me vê ali parada, ao lado de Samson. De súbito eu me sinto como uma criança pega na mentira. Nunca precisei lidar com esse tipo de punição. Minha mãe não dava a mínima para mim, nem prestava atenção, então não sei o que vai me acontecer. Estou meio nervosa, considerando que meu pai não parece satisfeito. Ele olha direto para Samson.

— Pois é, isso não está certo — diz meu pai.

Samson avança à minha frente e ergue as mãos, em defesa.

— Não passei a noite aqui. Por favor, não me soque de novo.

Meu pai me olha, pedindo uma explicação.

— Ele chegou faz quinze minutos. A gente viu o sol nascer.

Meu pai olha para Samson.

— Estou nesta cozinha há bem mais de quinze minutos. Se você chegou faz quinze minutos, como foi que entrou?

Samson dá uma coçadinha na nuca.

— Eu... hum... pulei. — Ele ergue o braço e mostra o cotovelo cheio de sangue. — Quase caí.

Meu pai o encara um instante, então balança a cabeça.

— Você é um imbecil — murmura ele, enchendo a caneca de café. — Querem um café?

Eita. Essa foi fácil contornar.

— Não, obrigado — diz Samson, já se esgueirando rumo à porta. Ele olha para mim. — Te vejo mais tarde?

Meneio a cabeça. Samson ergue a sobrancelha e me dá uma olhada. Depois que vai embora, passo vários segundos encarando a porta, sorrindo. Meu pai solta um pigarro e me traz de volta ao presente. Olho para ele, esperando que a conversa tenha chegado ao fim.

— Eu aceito um café — digo, tentando desviar sua atenção.

Meu pai pega uma caneca no armário e serve um pouco.

— Você toma puro?

— Não. Lotado de creme, lotado de açúcar.

Eu me sento numa das cadeiras da bancada, enquanto meu pai prepara o café.

— Não sei o que sentir em relação ao que acabou de acontecer — diz ele, deslizando a caneca para mim.

Beberico o café, olhando a caneca para não ter que encarar meu pai. Apoio-a outra vez na bancada e envolvo-a com as mãos.

— Eu não menti. Ele não passou a noite.

— Ainda — devolve meu pai. — Eu também já fui adolescente. Não tem nem dois metros de distância entre sua sacada e a dele. Hoje pode ter sido o nascer do sol, mas você vai passar o verão inteiro aqui. Eu e a Alana não permitimos que a Sara traga nenhum rapaz para passar a noite. E é muito justo que as mesmas regras se apliquem a você.

— Tudo bem — respondo, meneando a cabeça.

Meu pai me olha, como se não soubesse ao certo se estou concordando de verdade ou só para acalmá-lo. Para ser honesta, nem eu sei.

Ele se debruça sobre a bancada e dá um gole no café.

— Você sempre acorda cedo assim? — pergunta.

— Não. O Samson queria que eu visse o sol nascer, então programou um alarme no meu celular.

Meu pai acena para a porta por onde Samson saiu.

— Então, ele... vocês estão namorando?

— Não. Eu vou para a Pensilvânia em agosto, não quero namorar ninguém.

Meu pai estreita os olhos para mim.

— Pensilvânia?

Merda.

Saiu sem querer.

No mesmo instante eu baixo os olhos. Minha garganta trava de tanto nervosismo. Solto um suspiro lento.

— A-hã — é tudo o que respondo. Talvez ele não se intrometa.

— Por que você vai para a Pensilvânia? Quando tomou essa decisão? O que tem na Pensilvânia?

Agarro a caneca com mais força ainda.

— Eu ia te contar. Eu só... estava esperando o momento certo. — *Que mentira. Eu não tinha qualquer intenção de contar a ele, mas agora estou contando.* — Consegui uma bolsa na Estadual, para jogar vôlei.

Meu pai me encara, inexpressivo. Sem surpresa, raiva ou empolgação. Apenas o semblante inexpressivo e indecifrável.

— Está falando sério?

Assinto.

— Sério. Bolsa integral. Chego lá no dia três de agosto.

Sua expressão ainda é séria.

— Quando foi que você soube disso?

Engulo em seco e dou um gole no café, tentando decidir se digo a verdade. Talvez ele se irrite.

— No primeiro ano — respondo, baixinho.

Ele se engasga com o ar.

Parece muito surpreso. Ou ofendido. Não sei ao certo.

Em silêncio, ele se afasta da bancada e caminha até a janela. Encara o oceano, de costas para mim. Depois de cerca de trinta segundos de silêncio, ele se vira e me olha outra vez.

— Por que você não me contou?

— Sei lá.

— Beyah, isso é muito importante. — Ele retorna, em minha direção. — Você devia ter me contado. — Antes de chegar perto, ele para. Vejo a confusão tomando conta. — Se você conseguiu uma bolsa integral faz todo esse tempo, por que a sua mãe falou que você precisava de dinheiro para a inscrição na faculdade comunitária?

Solto um suspiro firme, com a mão agarrada à nuca. Pressiono os cotovelos na bancada e tomo um instante para encontrar a melhor resposta.

— Beyah?

Balanço a cabeça, para que faça um segundo de silêncio. Franzo a testa.

— Ela mentiu para você — respondo. Eu me levanto e levo a caneca até a pia. — Eu nem sabia que ela andava te pedindo dinheiro para isso. Ela também não sabia da bolsa, mas eu te garanto que nenhum dinheiro que você deu a ela para pagar qualquer inscrição foi usado comigo, para começo de conversa.

Jogo o resto de café na pia e lavo a caneca. Quando me viro e olho meu pai, ele parece triste. Confuso. Abre a boca como se fosse dizer algo, mas então fecha e balança a cabeça.

Sei que é muita coisa para processar. Nós não conversamos sobre a minha mãe. Essa deve ser a primeira vez que falo algo negativo em relação a ela. Além disso, por mais que eu fosse amar contar a ele que espécie de mãe ela nunca foi, são seis e meia da manhã, e não tenho condições de ter essa conversa agora.

— Vou voltar para a cama — digo, rumando para a escada.

— Beyah, espera.

Eu paro no segundo degrau e me viro lentamente. Ele está de pé, com as mãos na cintura, me encarando atentamente.

— Estou orgulhoso de você.

Assinto, mas assim que me viro e começo a subir a escada, sinto a bola de raiva crescer dentro de mim.

Não quero que ele sinta orgulho de mim.

Foi exatamente por isso que não falei nada.

Por mais que ele pareça se esforçar comigo agora, não consigo evitar um profundo ressentimento por ter passado a maior parte da vida sem ele.

Não vou permitir que suas palavras me alegrem, nem vou permitir que elas sejam uma desculpa para seu péssimo desempenho como pai.

Óbvio que você está orgulhoso de mim, Brian. Agora, sinta orgulho de mim apenas porque eu milagrosamente sobrevivi à infância sozinha.

Quatorze

Por mais que tenha me esforçado, não consegui voltar a dormir hoje de manhã depois que Samson foi embora. Acho que a conversa com meu pai me deixou agitada.

Sara abriu espreguiçadeiras e um guarda-sol na praia depois do almoço, e eu com certeza caí no sono na espreguiçadeira em algum momento, pois acabo de acordar. Com saliva no braço.

Estou de barriga para baixo, e quando abro os olhos vejo que meu rosto está virado para o lado oposto à espreguiçadeira de Sara. Limpo o braço e ergo o corpo, para me virar de costas.

Quando me situo, olho para Sara, mas não é Sara que eu vejo. É Samson.

Ele está dormindo na espreguiçadeira dela.

Eu me sento e olho para a água. Sara e Marcos estão bem ao longe no mar, sentados sobre pranchas de stand-up paddle.

Pego meu celular e olho a hora. São quatro da tarde. Dormi uma hora e meia.

Eu me recosto e olho Samson, adormecido. Ele está de barriga para baixo, com a cabeça apoiada nos braços. Tem um boné de beisebol na cabeça, virado para trás, e está de óculos escuros. Sem camisa, o que não é nada mal.

Eu me viro de lado, apoio a cabeça no ombro e fico um tempo olhando para ele. Sei muito pouco sobre as partes que compõem seu todo, mas sinto que já conheço o tipo de pessoa que se formou com a soma dessas partes.

Talvez não seja preciso conhecer a história de alguém para saber quem ela é hoje. E a pessoa que estou percebendo que ele é por dentro torna seu exterior ainda mais atraente. A ponto de me fazer pensar nele quase todos os segundos do meu dia.

Quando dou por mim, estou olhando sua boca. Não sei por que surtei durante aquele beijo, ontem à noite. Talvez ainda esteja tentando entender a realidade da última semana que vivi.

Foi muita coisa ao mesmo tempo, e tudo pareceu se avultar sobre mim, aos berros, durante o beijo de ontem. Fico pensando... se ele me beijasse hoje à noite outra vez, será que eu reagiria da mesma forma? Ou me permitiria de fato dar um passo além e aproveitar o beijo por inteiro, como aproveitei nos primeiros segundos?

Encaro os lábios dele, convencendo a mim mesma de que vale a pena uma segunda tentativa. E uma terceira, e talvez uma quarta. Se nos beijarmos o bastante, talvez até chegue ao ponto da perfeição.

— Você está ligada de que estou com os olhos abertos, né?

Merda.

Achei que ele estivesse dormindo. Cubro o rosto com as mãos. Não há como esconder minha vergonha.

— Não esquenta — diz ele, com a voz rouca, arranhada na garganta. — Eu te olhei o tempo todo em que você estava dormindo. Ele estende a mão e toca meu cotovelo. — Como você arrumou essa cicatriz?

Eu me viro de lado e torno a olhar para ele.

— Num jogo de vôlei.

A espreguiçadeira dele está a uns trinta centímetros da minha, mas parece um quilômetro quando ele afasta a mão do meu braço.

— O seu time era bom mesmo?

— Fomos bicampeãs estaduais — respondo. — Você jogava algum esporte na escola?

— Não. Não frequentei uma escola típica.

— Que tipo de escola você frequentou?

Samson balança a cabeça, indicando que não vai responder. Reviro os olhos.

— Por que é que você faz isso? Por que me faz perguntas, depois eu pergunto a mesma coisa e você se recusa a responder?

— Já te contei mais coisas do que a qualquer outra pessoa. Na vida — diz ele. — Não seja gananciosa.

— Então para de me fazer perguntas que você mesmo não está disposto a responder.

Ele sorri.

— Para de responder as minhas.

— Você acha que me contar em que escola estudou é mais íntimo que enfiar a língua na minha boca? Ou ficar sabendo sobre o Dakota? Ou me contar sobre a sua mãe? — Ajeito os braços atrás da cabeça e fecho os olhos. — A sua lógica é meio burra, Samson.

Não faz mesmo o menor sentido tentar conversar, se ele só fica rodopiando pelos assuntos feito uma bailarina.

— Estudei num internato em Nova York — diz ele, enfim. — E odiei cada segundo.

Dou um sorriso, sentindo que de alguma forma venci essa batalha, mas por dentro me entristeço um pouco com a resposta. Internato não parece divertido. Não me admira ele não querer falar a respeito.

— Valeu.

— Não há de quê.

Viro a cabeça e olho para Samson. Ele tirou os óculos escuros, e o reflexo do sol deixa seus olhos quase translúcidos. Alguém com olhos tão transparentes assim não devia ser fechado desse jeito.

Nós nos encaramos, como sempre, mas desta vez é diferente. Agora conhecemos o gosto um do outro. Ele já sabe o meu segredo mais sombrio, e mesmo assim me olha como se eu fosse a coisa mais interessante desta península.

Ele baixa os olhos e encara o espaço entre nossas cadeiras. Arrasta um dedo na areia.

— Como é que se soletra o seu nome?

— B-e-y-a-h.

Eu o vejo escrever meu nome na areia. Quando termina, arrasta o dedo e faz um traço no meio, então corre a mão inteira até que meu nome desapareça.

Não sei como é possível sentir isso sob a pele, mas sinto.

Samson olha para a água.

— A Sara e o Marcos estão voltando. — Ele põe os óculos escuros e se levanta com vigor.

Mantenho as mãos atrás da cabeça, fingindo estar relaxada, apesar de sentir que acabei de ser eletrocutada. Samson caminha até Sara, que está lutando com a prancha. Ele toma a frente e arrasta a prancha para fora d'água para ela.

Ao se aproximar, Sara puxa o rabo de cavalo e se acomoda na espreguiçadeira de onde Samson acabou de sair. Torce o cabelo para tirar a água.

— A soneca foi boa? — pergunta ela.

— A-hã. Não acredito que peguei no sono.

— Você ronca — diz ela, rindo. — Perguntou ao Samson se ele quer sair de casal hoje à noite?

— Não. O assunto não surgiu.

Marcos e Samson se aproximam, trazendo as pranchas.

— Samson, a gente vai sair de casal hoje — diz Sara. — Esteja pronto às seis.

— Quem é o meu par? — devolve Samson, de bate-pronto.

— A Beyah, imbecil.

Samson me olha, como se refletisse.

— É tipo um encontro de amigos?

— Só vamos comer alguma coisa — diz Marcos. — Não deixa a Sara ficar rotulando.

— Vamos comer frutos do mar? — pergunta Samson.

— E você ia deixar que a gente comesse outra coisa, por acaso?

Samson olha para mim.

— Beyah, você gosta de camarão?

— Sei lá. Acho que nunca comi.

Samson inclina a cabeça.

— Não sei dizer se você está sendo sarcástica.

— Eu sou do Kentucky. Lá não tem muitos restaurantes de frutos do mar baratos.

— Você nunca foi nem ao Red Lobster? — pergunta Marcos.

— Vocês esquecem que para muita gente o Red Lobster é um restaurante chique.

— Então eu que vou escolher o seu prato — diz Samson.

— Eita, que mandão — provoco.

Sara veste a saída de praia e se levanta.

— Vem, vamos nos arrumar.

— Mas já? A gente só deve sair tipo daqui a duas horas.

— Sim, mas vamos ter muita coisa para fazer com você.

— Tipo o quê?

— Vou fazer uma transformação em você.

Nego com a cabeça.

— Não. Não, por favor.

Ela assente.

— Sim. Vou fazer cabelo, unha, maquiagem. — Ela me puxa pela mão e me ergue da cadeira. Aponta para o que trouxemos para a praia mais cedo. — Os homens fortes que cuidem de todas as coisas, tá bom?

A meio caminho de casa, ela diz:

— Ele está a fim de você. Dá para ver. Ele não olha as garotas do jeito que te olha.

Não respondo, pois enquanto ela fala recebo uma mensagem de texto. Raramente recebo mensagens de texto. Quase ninguém tem o meu número.

Sara começa a subir as escadas, e olho o telefone. A mensagem é de Samson.

> Olha só a gente saindo para um encontro. Talvez a gente seja divertido, sim, no fim das contas.

— Você não vem? — pergunta Sara.

Fecho meu sorriso escancarado e sigo atrás dela.

Quinze

Todos me encaram, à espera da mordida. Até o garçom. Quanta pressão.

— Põe o molho coquetel primeiro — sugere Marcos.

Samson afasta o molho.

— Está doido? Assim ela vai vomitar. — Ele empurra o molho tártaro para perto de mim. — Aqui, bota esse.

Sara revira os olhos e empilha três dos cardápios. Ela e Marcos acabaram de pedir, mas Samson e eu ainda não, pois ele quis confirmar se eu gostava de camarão. O garçom achou graça por eu nunca ter comido camarão, então trouxe um pouco para eu provar e agora está de olho para ver minha reação.

É camarão grelhado, sem casca nem rabo. Não sou muito fã de peixe, então não estou esperando grande coisa, mas a pressão é real quando mergulho um pedacinho no molho tártaro.

— Vocês estão agindo como se fosse questão de vida ou morte — diz Sara. — A fome está me irritando.

— Só vai ser questão de vida ou morte se ela for alérgica a frutos do mar — devolve o garçom.

Antes de morder, eu paro.

— O que entra na definição de frutos do mar, exatamente?

— Lagosta — responde Samson. — Camarão. Coisas que vivem em conchas.

— Siri. Lagostim. Tartaruga — diz Marcos.

— Tartaruga não é peixe — retruca Sara, revirando os olhos.

— Foi brincadeira.

— Você já comeu lagosta ou siri? — pergunta Samson a mim.

— Já comi siri.

— Então não vai dar nada, não.

— Pelo amor de Deus, come logo, senão eu como — diz Sara. — Estou morrendo de fome.

Mordo a metade do camarão. Todo mundo me olha comer, até Sara. Tem um sabor decente. Não é a melhor coisa que já comi, mas é gostoso.

— Nada mal. — Ponho a outra metade na boca.

Samson sorri e entrega o cardápio ao garçom.

— Vamos querer o prato de camarão.

O garçom anota e se retira.

— Ele acabou de fazer o pedido por você — diz Sara, franzindo o nariz. — Não sei se é fofo ou se é nojento.

— Uma vez eu tentei fazer isso e você me deu uma cotovelada na costela — diz Marcos.

Sara assente.

— É, tem razão. É nojento. — Ela dá um golinho na bebida. — Estou com vontade de fazer um programa de turista este fim de semana.

— Tipo o quê? — pergunta Marcos.

— Parque aquático? Ou ônibus-anfíbio? — Ela olha para mim e para Samson. — Vocês querem vir?

— Estou livre todos os dias depois do almoço, menos na sexta. Vou terminar o telhado da Marjorie.

Isso meio que derrete um pouco meu coração.

— Shawn?

Todos nós olhamos na direção da voz. Um sujeito se aproxima de nossa mesa, olhando para Samson. O cara é alto, magro e tem os braços cobertos de tatuagens. Estou olhando uma no antebraço, com o desenho de um farol, quando vejo Samson se empertigar.

— Puta merda, é você mesmo — diz o sujeito. — Como é que vai, cara?

— Oi — diz Samson. Não parece muito empolgado em vê-lo. Além do mais... *por que o cara o chamou de Shawn?*

Samson dá um tapinha em minha perna, pedindo espaço para sair do sofá. Eu me levanto, então ele sai e dá um abraço no cara. Retorno ao meu lugar, e nós três não disfarçamos o fato de que estamos de ouvidos atentos à conversa dos dois.

— Cara — diz o sujeito a Samson. — Quando foi que você saiu?

Saiu?

Samson olha nossa mesa. Ele está visivelmente constrangido. Leva a mão às costas do cara e o conduz para longe, de modo que não conseguimos mais escutar o diálogo.

Olho Sara e Marcos, para ver a reação deles. Marcos está tomando seu drinque, mas Sara encara Samson, curiosa, com a cabeça espichada.

— Que estranho — diz ela, virando-se de volta. — Por que o cara chamou ele de Shawn?

Marcos dá de ombros.

— De repente Samson é o nome do meio — respondo, mais para mim mesma do que para eles. Fico pensando por que não perguntei seu nome completo ontem à noite. É estranho perceber que não sei nem o primeiro nome do cara. Mas aposto que ele não sabe que meu sobrenome é Grim. Ou de repente sabe, já que é o mesmo do meu pai.

— Por que é que o cara perguntou quando ele saiu? — indaga Sara. — Saiu de onde? Da cadeia? Da prisão?

Marcos dá de ombros outra vez.

— De repente era da reabilitação.

— Ele foi para uma *reabilitação*? — pergunta Sara.

— Não faço ideia, conheço ele há tanto tempo quanto você.

Samson reaparece em nossa mesa instantes depois, sem o amigo. Eu me levanto e o deixo entrar de volta no sofá. Ele não diz nada. Não oferece qualquer explicação. Não importa, pois Sara não vai deixar passar. Dá para ver, pelo jeito como ela o encara.

— Por que aquele cara te chamou de Shawn?

Samson a encara um instante, então solta uma risadinha baixa.

— Oi? — pergunta ele.

Ela abana a mão na direção aonde o sujeito foi.

— Ele te chamou de Shawn! E perguntou quando foi que você saiu. Onde é que você estava? Na cadeia?

Por algum motivo, Samson olha para mim. Não digo nada, pois aguardo a mesma resposta que Sara.

Ele olha de volta para ela.

— Esse é o meu nome. Shawn Samson. — Ele aponta para Marcos. — O Marcos me chamou de Samson quando a gente se conheceu, aí vocês passaram a chamar também. Todas as outras pessoas me chamam de Shawn.

Marcos leva o canudinho à boca.

— Agora, pensando bem, parece vagamente familiar.

Shawn? O nome dele é *Shawn*?

Estou tão acostumada a chamá-lo de Samson, que não sei nem se consigo chamá-lo de Shawn.

— Entendi — diz Sara. — Mas de onde foi que você *saiu*? Da cadeia? Você estava preso?

Samson suspira, e dá para ver que ele não quer falar no assunto.

— Deixa ele em paz — diz Marcos, também notando o desconforto de Samson.

Sara abana a mão para mim, na defensiva.

— Estou tentando juntar a minha irmã-postiça com ele, então acho que é direito nosso saber se ele é um criminoso.

— Tudo bem — diz Samson. — Ele estava falando de sair da cidade. Nós fomos colegas de internato, e ele sempre soube o quanto eu odiava Nova York.

Percebo seu pomo-de-adão subindo e descendo devagar, como se ele engolisse uma mentira. Quais são as chances de alguém topar com um cara de Nova York numa península do Texas?

Pouquíssimas, mas isso é realmente da conta de Sara? É da minha conta? Ninguém deve explicações aos outros sobre o próprio passado.

Não sei por que sinto um ímpeto de defendê-lo, mas sei o quanto ele detesta falar de si mesmo. Talvez essa seja uma característica dele que Sara desconhece.

Mais tarde descubro a verdade. Agora só quero dissipar esse climão, então me pronuncio:

— Nunca fui à Nova York. Além do Texas, só estive em outros dois estados.

— Sério? — indaga Sara.

Assinto em concordância.

— Sério. Eu só saía do Kentucky quando ia a Washington para ver meu pai. Não fazia ideia de que o Texas era quente assim. Não sei se gosto muito.

Marcos ri.

O garçom chega com as entradas que Sara pediu. Pega meu copo para servir um refil, e Samson pega um pedaço de lula e enfia na boca.

— Você já comeu lula, Beyah?

Pego um pedaço.

— Não.

Marcos revira a cabeça.

— Parece que você cresceu em outro planeta.

Desta vez, Sara não espera por mim. Põe um pouco da entrada no prato e começa a comer. Esse breve momento pode não ser importante para ninguém à mesa, mas fico aliviada em saber que Sara não está botando tanta pressão em si mesma quanto estava na noite em que cheguei.

Ela então começa a perguntar que outras comidas nunca provei, e o foco da conversa passa de Samson a assuntos não relacionados ele.

Depois de uns minutos, Samson estende o braço por sob a mesa e pega minha mão. Aperta um pouco, depois solta. Quando olho para ele, vejo um agradecimento silencioso.

Mal conheço esse cara, mas de alguma forma consigo me comunicar mais com ele em silêncio do que jamais consegui verbalmente com qualquer outra pessoa.

Ele me dá uma olhada, e é o bastante para provar que não preciso saber mais nada. Pelo menos não agora.

No tempo certo, vou removendo as camadas.

Dezesseis

Mais tarde, quando chegamos à fogueira, não há dois lugares lado a lado, então Samson se senta à minha frente.

Infelizmente, quem está ao meu lado é Beau.

Percebo que Samson olha para Beau toda vez que ele fala comigo. Estou tentando deixar bem nítido meu desinteresse, mas Beau não pega a deixa. Caras feito ele nunca pegam. Estão acostumados a conseguir o que querem, então não sabem reconhecer quando não são desejados. Esse é um fato incompreensível a Beau, tenho certeza.

— Ai, meu Deus — murmura Sara.

Olho para ela, que aponta para um cruzamento de dunas a cerca de quinze metros do ponto onde estamos.

Cadence vem caminhando pela areia.

— Achei que ela tinha ido embora — digo.

— Eu também — responde Sara.

Com um bolo no estômago, vejo Cadence se aproximar de nós. Samson está de costas para ela, então não percebe sua aproximação.

Quando ela chega, estende as mãos por trás e cobre os olhos de Samson. Ele puxa as mãos dela e vira o pescoço.

— Surpresa! — exclama ela, antes que ele possa reagir. Então se inclina e o beija na boca. — A gente voltou para ficar mais uma semana.

Meu sangue parece se transformar em lava.

No instante em que ela se afasta, Samson crava os olhos nos meus. O ciúme não está estampado em meu rosto, mas certamente corre por minhas veias.

Samson se levanta e se vira para Cadence. Não consigo ouvir o que diz, mas ele me olha por uma fração de segundo, então leva a mão às costas de Cadence, na altura da cintura, e aponta para a água. Os dois começam a caminhar, e só o que consigo fazer é olhar para baixo.

Espero que ele esteja se afastando para dispensá-la com carinho. Ou sem carinho, não dou a mínima.

Não que ele me deva qualquer coisa. Fui eu quem interrompeu o beijo ontem à noite.

— Você está bem? — pergunta Sara, percebendo minha mudança de comportamento.

Solto um suspiro firme.

— O que eles estão fazendo?

— Quem? A Cadence e o Samson?

Faço que sim

— Estão caminhando. — Ela estreita os olhos para mim, desconfiada. — O que está rolando entre vocês?

Balanço a cabeça.

— Não tem nada rolando.

Sara se recosta de volta na cadeira.

— Sei que você é reservada em relação a um monte de coisas, Beyah. Fico de boa com isso, mas se o Samson te beijar, você pode, por favor, me sinalizar? Não precisa nem falar em voz alta. Faz um joinha, qualquer coisa.

Meneio a cabeça e olho outra vez para Samson e Cadence. Os dois estão de pé, a uns sessenta centímetros um do outro. Ela tem os braços cruzados com firmeza na altura do peito. Parece nervosa.

Retorno o olhar à fogueira, mas alguns segundos depois ouvimos um arquejo coletivo.

— Puta merda — diz Marcos, com uma risada. Olho para ele, mas ele está encarando Samson, que agora caminha de volta para a fogueira. Está sozinho, esfregando o rosto.

— Ela deu um tapa nele — sussurra Sara. Quando Samson se acomoda na cadeira, ela pergunta: — O que foi que você falou para ela?

— Nada que ela quisesse ouvir.

— Você dispensou a garota? — pergunta Beau. — Para que fazer uma merda dessas? Ela é gostosa.

Samson olha Beau, impassível. Abana a mão na direção de Cadence, que se afasta a passos firmes.

— Ela está livre, Beau. Pode cair em cima.

Beau balança a cabeça.

— Não, só quero cair em cima dessa aqui — responde ele, apontando para mim.

— Não vai rolar, Beau — digo.

Beau escancara um sorriso, e não entendo como minha recusa fria e direta pode levá-lo a crer que haja qualquer intenção para além das palavras que acabei de dizer. Ele se levanta e segura minha mão. Tenta me puxar, mas não me mexo.

— Vem dar um mergulho comigo.

Balanço a cabeça.

— Já falei duas vezes que não.

Ele tenta me levantar, mas respondo com um chute em seu joelho, e no mesmo instante Samson se levanta e se põe entre nós, encarando Beau.

— Ela falou que não.

Beau olha Samson, então se vira e olha para mim.

— Ah, já entendi — diz ele, balançando o dedo entre nós dois. — Vocês estão de rolo.

— Isso não tem nada a ver comigo — diz Samson. — Já ouvi a garota pedir várias vezes que você deixasse ela em paz. Se liga, porra.

Samson está nervoso. Não sei se é por ciúme ou apenas porque Beau é um babaca.

Espero que o assunto se encerre, mas Beau parece não gostar que aumentem a voz para ele. Dá uma guinada e acerta Samson no rosto. Então ergue os punhos, preparado para briga, mas Samson leva a mão à mandíbula e encara Beau com firmeza.

— É sério isso?

— Sim, porra, é sério — responde Beau, ainda em postura de combate.

Marcos se levanta, pronto para defender Samson, mas ele não se dispõe a entrar no jogo de Beau.

— Vai para casa, Beau — diz Marcos, plantando-se entre ele e Samson.

Beau encara Marcos.

— Como é que se diz *imbecil* em mexicano?

A única coisa que odeio mais que um babaca é um babaca *racista*.

— É espanhol, não mexicano — devolvo. — E acho que *Beau* é a tradução correta para imbecil.

Ao ouvir isso, Samson solta uma risadinha. Beau fica irritado.

— Vai se foder, seu riquinho desgraçado. Vão para o inferno vocês todos. — Beau está com o rosto vermelho de raiva.

— Toda vez que você aparece já é um inferno — retruca Sara, num tom seco.

— Vai se foder. — Beau aponta para Sara, depois para mim. — E você também, vai se foder.

Acho que neste ponto Samson chega ao limite. Não bate em Beau, mas parte para cima dele tão depressa, que Beau recua. Beau dá meia-volta, pega suas coisas e vai embora.

Que bela visão.

Samson desaba na cadeira, segurando a mandíbula.

— Já levei um tapa e dois socos desde que você chegou.

— Então para de tomar o meu lado.

Samson me olha com um sorrisinho, quase como se dissesse *"não vai rolar"*.

— Você está sangrando. — Pego uma toalha e limpo o rosto dele. Vejo um pequeno corte em seu maxilar. Beau devia estar de anel. — É bom botar um curativo nisso aí.

Samson me encara, e o olhar dele muda.

— Tenho curativo em casa.

Ele se levanta, contorna a fogueira e começa a rumar para casa.

Não me convida e nem espera por mim, mas por sua expressão percebo que ele quer que eu vá atrás. Levo a mão à nuca, sentindo o calor subir à pele. Então me levanto. Antes de me afastar, olho para Sara.

— Não esquece — sussurra ela. — Um sinal. Um joinha.

Dou uma risada, então sigo para a casa de Samson. Ele está vários metros à frente, mas deixa a porta aberta, então sabe que estou vindo.

Quando chego no alto da escada, solto um suspiro para me acalmar. Não sei por que estou nervosa. A gente se beijou ontem à noite. A parte mais difícil já passou.

Entro na casa e fecho a porta. Samson está diante à pia, molhando uma toalha de papel. Adentro a cozinha e percebo que ele não acendeu nenhuma lâmpada. A única luz da casa vem dos aparelhos eletrônicos e do luar que invade as janelas.

Eu me debruço na bancada para olhar o corte. Ele inclina a cabeça para que eu possa analisar.

— Ainda está sangrando? — pergunta.

— Um pouco.

Eu me afasto e o observo pressionar a toalha de papel contra a mandíbula.

— Não tenho curativo nenhum. Era mentira.

Faço que sim.

— Eu sei. Você não tem bosta nenhuma nessa casa.

Ele contorce a boca, como se quisesse sorrir, mas algo pesado estorva seu sorriso. Seja lá o que for, pesa em *mim* também.

Ele larga a toalha de papel na pia e agarra a borda da bancada, como se precisasse se conter.

Ele não vai tomar a iniciativa desta vez, por mais vontade que demonstre ter. Eu, nervosa como estou, quero experimentar um beijo inteiro dele, do início ao fim.

O olhar de Samson é feito um ímã que me atrai. Eu me aproximo, num movimento tímido. Por mais que eu pareça nervosa, ele não pressiona. Apenas espera. Meu coração bate forte no peito, e fica evidente para nós dois que estou indo beijá-lo.

É diferente de ontem à noite. Parece mais significativo, já que nós dois passamos o dia pensando nisso e obviamente chegamos à conclusão de que ambos queremos repetir a dose.

Sustentamos o contato visual, enquanto me ergo na ponta dos pés e uno nossos lábios. Ele sorve o ar, com minha boca colada à dele, como se invocasse uma paciência que já não tem.

Eu me afasto um tantinho, querendo ver sua reação. O olhar fixo e os lábios entreabertos são uma pista promissora do que vai acontecer. Não sinto que vou fugir da cozinha outra vez, depois de passar vinte e quatro horas lamentando esse movimento.

Samson baixa a cabeça junto à minha. Fecho bem os olhos ao sentir sua mão em minha nuca. Ele encosta a testa na minha, e imagino que também esteja com os olhos fechados. É como se ele quisesse estar perto de mim, mas soubesse que não pode me abraçar e não soubesse se deve me beijar.

Inclino a cabeça para trás, por instinto, querendo seus lábios junto aos meus. Ele aceita o convite silencioso e beija o canto de minha boca, depois o meio. Solta um suspiro trêmulo, saboreando o que está por vir.

A mão enroscada em meu cabelo inclina minha cabeça mais para trás, e ele me beija com confiança.

É um beijo lento e profundo, como se para sobreviver ele tivesse que tragar um tantinho de minha alma. Ele tem gosto de água salgada, e meu sangue mais parece o mar, revolto e agitado nas veias.

Quero viver neste momento. Dormir e acordar neste instante.

Ainda não quero que o beijo termine, mas gosto do jeito como ele começa a afrouxar o ritmo. Gradual, cuidadoso, árduo, como se reduzisse a marcha de um trem.

Quando encerramos, ele me solta, mas não me mexo. Ainda estou agarrada a ele, mas ele agora segura outra vez a bancada, com as mãos ao lado do corpo. Aprecio que ele não tenha me abraçado.

De um beijo eu dou conta, isso já está provado. Mas para um abraço ainda não estou tão preparada, e ele sabe como me sinto a esse respeito.

Apoio a testa em seu ombro e fecho os olhos.

Ele une a cabeça à minha, e ouço sua respiração forte e profunda.

Ficamos assim um instante, e não sei o que sentir ou pensar. Não sei se é normal sentir meia tonelada de peso a mais depois de um beijo.

Sinto que estou fazendo tudo errado, mas ao mesmo tempo parece que Samson e eu talvez sejamos as únicas pessoas no mundo que estão fazendo a coisa certa.

— Beyah — sussurra ele.

Sua boca está bem ao pé do meu ouvido. Ao ouvir meu nome, sinto um arrepio que desce do pescoço até os braços. Continuo de olhos fechados e com a testa junto ao peito dele.

— Oi.

Há uma pausa, que parece maior do que de fato é.

— Vou embora em agosto.

Não sei o que responder. São apenas quatro palavras, mas que riscam uma linha profunda na areia. Uma linha que eu sabia que uma hora chegaria.

— Eu também — digo.

Ergo a cabeça, e meu olhar é atraído para o colar dele. Toco o pingente de madeira. Ele me olha como se quisesse me beijar outra vez. Eu repetiria a dose umas mil vezes hoje à noite. Não senti nada de ruim desta vez. Foi arrepiante, mas bom. Como se ele tivesse me beijado às avessas, de dentro para fora... do mesmo jeito como me olha às vezes. Como se visse meu interior antes de ver o lado de fora.

Ele ergue meu queixo com o dedo e pressiona outra vez os lábios nos meus, agora com os olhos abertos, me absorvendo. Afasta-se, mas não muito. Todas as palavras parecem penetrar minha boca, quando ele fala.

— Se a gente embarcar nessa, vamos ter que ficar na parte rasa.

Assinto, mas então balanço a cabeça. Não sei se concordo ou discordo.

— Como assim, na parte rasa?

O olhar dele é tenso como o que sinto em meu peito. Ele corre a língua sobre o lábio superior, como se pensasse na melhor forma de elaborar seus pensamentos sem me machucar.

— É só que... se virar alguma coisa. Um namoro de verão. Quero que seja só isso. Não quero sair daqui em agosto no meio de um relacionamento.

— Também não quero. A gente vai um para cada lado do país.

Ele corre o dorso da mão pelo meu braço. Ao retornar, não para no ombro. Sobe os dedos pela clavícula, então para na minha bochecha.

— Às vezes as pessoas se afogam na parte rasa — sussurra ele.

Que pensamento sombrio. Imagino que ele pretendesse guardar para si. Mas cá estou eu, removendo suas camadas, quer ele goste ou não.

Tantas camadas.

Não sei como esse beijo fez parecer que eu transpus todas as camadas e penetrei seu âmago, mas foi isso mesmo. É como se eu visse seu verdadeiro eu, apesar do tanto que ainda desconheço.

— Quem era aquele cara no jantar? — pergunto.

Ele engole em seco e desvia o olhar. Sinto vontade de tocar sua garganta, para aliviá-lo.

— Não quero mentir para você, Beyah. Mas também não posso ser honesto.

Não faço ideia do que isso quer dizer, mas a questão é que Samson não parece o tipo que fabrica dramas para chamar a atenção. Com essas palavras, ele me faz pensar que a coisa é ainda pior do que ele vem me apresentando.

— Qual foi a pior coisa que você já fez? — pergunto a ele.

Ele torna a me olhar, com outro previsível balanceio de cabeça.

— É tão ruim assim?

— É ruim.

— Pior do que o que fiz com o Dakota?

Samson contrai os lábios em uma linha fina, irritada, então baixa a cabeça e me encara com intensidade.

— Existem dois tipos de erro. O erro que deriva da fraqueza e o que deriva da força. Você fez uma escolha porque foi forte e tinha que sobreviver. Não fez essa escolha por fraqueza.

Eu me agarro a todas as palavras, pois quero fazer dessa a minha verdade.

— Você me responderia uma coisinha só? — indago. Ele não diz que sim, mas também não diz que não. Apenas aguarda. — Foi algum tipo de agressão?

— Não. Nada desse tipo.

Fico aliviada. E ele percebe. Com as duas mãos, alisa meu cabelo por sobre os ombros, dá um beijinho em minha testa e apoia a cabeça na minha.

— Te conto na véspera de você ir para a faculdade.

— Se vai me contar, por que não conta logo agora?

— Porque quero passar o resto do verão com você. Se te contar, acho que você não vai mais querer.

Não sei que revelação é essa capaz de me fazer desistir de falar com ele, mas sei que se ficar com a cabeça presa nisso vou acabar me estressando.

Vou esperar.

No ritmo em que nossas conversas têm corrido, arranco isso dele antes de agosto.

Por enquanto, só dou um aceno com a cabeça, pois ele não vai querer me contar nada hoje à noite. E se há algo que posso fazer agora é demonstrar a mesma paciência que ele teve comigo ontem à noite.

Ele me beija outra vez. É um beijo ligeiro. De boa noite.

Eu me afasto e vou até porta, sem dizer nada, pois todas as palavras parecem muito imensas para minha voz. Neste momento é difícil até cruzar a porta. Não consigo nem imaginar como vai ser o dia três de agosto.

P.J. está esperando do lado de fora. Muito leal, desce as escadas comigo e me acompanha até minha casa. Quando chego ao topo da escada, ele vai se deitar em sua caminha.

Ao entrar em casa, agradeço por não ver ninguém na sala. Tranco a porta sorrateiramente e subo ao segundo andar. Antes de abrir a porta do meu quarto, dou uma olhada no de Sara.

Acho que quero contar a ela sobre o beijo. É estranho querer me abrir com outra garota. Nunca contei nem a Natalie sobre o lance entre mim e Dakota. Era tudo vergonhoso demais.

Bato à porta de Sara bem de leve, para não acordar mais ninguém. Ela não atende. Deve estar na praia.

Abro a porta para conferir se ela está dormindo, mas dou uma espiada fecho a porta de volta, bem depressa.

Marcos estava em cima dela. Estava de roupa, mas mesmo assim. Por essa eu não esperava.

Cruzo o corredor, mas recordo o pedido de Sara, na praia, para que eu desse um sinal silencioso.

Volto até o quarto. Os dois param de se beijar e me olham. Avanço até a cama, faço um "joinha" e espalmo a mão diante dela.

Ela ri e bate a palma na minha.

— Arrasou! — sussurra ela, enquanto saio do quarto.

Dezessete

Os últimos dias foram os menos estressantes de toda a minha vida. Parece que o tempo que passo com Samson libera em meu cérebro uma descarga hormonal que eu não recebia há dezenove anos. Estou feliz. Já não me sinto o tempo todo à beira de um colapso.

Tenho certeza de que não é só Samson. É uma combinação de tudo o que nunca tive. Uma casa decente, e não apodrecida de tanto cupim. Três refeições por dia. Uma amizade constante bem ao meu lado, no mesmo corredor. O oceano. O nascer do sol.

É quase muita coisa boa ao mesmo tempo. Estou tendo uma overdose de coisas boas, ou seja, vou ter que trabalhar o desmame de tudo isso quando o verão acabar. Mas, como bem disse Sara, o verão foi feito para vivermos o presente, e apenas o presente. No dia três de agosto eu penso na parte dolorosa.

Samson concluiu que seria mais fácil subir até minha sacada usando uma escada, em vez de pular. Estou sentada no lugar de costume, comendo umas uvas que acabei de pegar da geladeira, quando o ouço apoiar a escada. Minha parte preferida desta rotina matinal é quando ele chega ao último degrau e sorri para mim. Apesar de que ontem à noite talvez tenha sido melhor que as manhãs. Ele me convenceu a voltarmos ao mar, e pudemos nos beijar sem nenhuma dor lancinante para interromper.

Beijar é um eufemismo.

A gente se amassou. O máximo que duas pessoas conseguem se amassar dentro d'água sem meter as mãos sob as roupas de banho. Mas foi o único momento de contato físico que tivemos de fato nesses últimos dias, tirando as manhãs. Fico meio constrangida com demonstrações públicas de afeto, e estamos sempre com Sara e Marcos.

Samson chega ao alto da escada, e nós dois sorrimos.

— Bom dia.

— Oi.

Conduzo outra uva até a boca. Depois de subir no parapeito, ele se debruça, vem me dar um beijinho e se senta ao meu lado.

Pego uma uva do saquinho e levo a seus lábios. Ele sorri, mas mal abre a boca, forçando-me a empurrar a uva com o dedo. Fecha os lábios um segundo, então puxa, bem de leve. E começa a mastigar.

— Valeu.

Agora quero passar o dia comendo uva com ele.

Ele passa o braço pelas costas da cadeira. Eu me recosto a seu lado, mas não tão perto, para que ele não encare como um sinal para me abraçar. Vemos o sol nascer, em silêncio, e penso na reviravolta que minha vida sofreu desde que cheguei.

Achei que soubesse quem eu era, mas não fazia ideia de que as pessoas podem se tornar versões diferentes de si mesmas em cenários distintos. Aqui, onde tudo parece tão bom e perfeito, eu de fato estou em paz comigo mesma. Não durmo toda noite com um gosto amargo na boca. Não sou tão diligente no ódio a meu pai quanto antes. Nem tão descrente no amor. Aqui não sou cética, pois consigo olhar a vida através de lentes diferentes.

Isso me faz pensar que versão de mim mesma eu serei quando chegar à faculdade. Será que vou ser feliz por lá? Será que vou sentir saudade de Samson? Vou continuar prosperando, ou tornar a definhar, como era antes?

Eu me sinto como uma flor removida das sombras e colocada no sol. Estou desabrochando pela primeira vez desde que rompi a terra do solo.

— Quais são os planos para hoje? — pergunta Samson.

Dou de ombros.

— Acho que a essa altura já ficou nítido que não tenho nenhum plano até o dia três de agosto.

— Que bom. Quer alugar um carrinho de golfe e fazer um tour hoje à tarde? Conheço uma parte da praia super-reservada.

— Quero. Gostei da ideia.

Ainda mais ao ouvir a palavra *reservada*. Parece um convite para enfim passar um tempo a sós com ele.

O sol já nasceu, e neste momento Samson costuma ir embora, para que eu volte a dormir, mas hoje, em vez de se levantar, ele me desliza para seu colo, com as pernas abertas e de frente para ele. Recosta a cabeça na cadeira e pousa as mãos em minha cintura.

— A gente devia ver o sol nascer nessa posição.

— Eu ia bloquear a sua vista.

Ele toca meu rosto, e seus dedos em minha pele são como pequenas labaredas.

— Você é mais bonita que a vista, Beyah.

Ele desliza a mão por trás de minha cabeça e me leva até sua boca. Engancha os braços em mim e me puxa para perto, mas eu me remexo um pouco, para que ele não faça isso. Não gosto quando ele me envolve enquanto nos beijamos, pois me faz pensar num abraço, e abraço para mim é mais pessoal que beijo, ou até que sexo.

Eu gosto de beijar Samson. Gosto de estar com ele. Mas não gosto da ideia de dividir algo tão íntimo com alguém que não quer compartilhar mais que umas semanas comigo.

Ele desce as mãos até minha cintura, como o eduquei a fazer durante os últimos dias. Beija minha mandíbula e a lateral de minha cabeça.

— Preciso ir — diz. — Tenho muita coisa para fazer hoje.

Todo dia ele faz algo diferente. Ajuda a consertar o telhado de alguém, refaz uma duna. A maioria parece trabalho duro. Não sei se de fato ele recebe dinheiro pelos trabalhos que faz.

Eu me afasto dele e o observo retornar à escada.

Sem olhar para mim, ele desce e desaparece. Inclino a cabeça no encosto da cadeira e jogo uma uva na boca.

Tenho certeza de que ele quer mais contato físico do que estou entregando, mas não posso dar mais se ele insiste em se manter na parte rasa. Carinhos e abraços podem parecer coisas rasas para ele, mas para mim estão enterradas no fundo da Fossa das Marianas.

Eu preferiria fazer sexo casual a deixar que ele me abrace.

Essa é a prova cabal de que tenho questões profundas e preciso fazer terapia. Mas que seja.

A terapia do oceano até agora tem feito maravilhas por mim, e é de graça.

•

Reservado era pouco.

Ele nos trouxe a um ponto tão afastado da praia, que já não vejo nem casas. Só uma ou outra, bem espalhadas. Não há ninguém por perto. Apenas as dunas atrás de nós e o oceano à nossa frente. Se eu pudesse escolher um lugar onde construir uma casa, seria aqui.

— Por que não tem muitas casas aqui? A maré sobe muito?

— Antigamente essa parte era cheia de casas. O furacão Ike destruiu tudo.

Samson dá uma golada na água. Trouxe sanduíches, água e um cobertor. Ele considera este nosso primeiro encontro oficial, já que as saídas com Sara e Marcos na verdade não contam. Foi até me buscar em casa no carrinho de golfe.

— Será que algum dia vai voltar a ser como era antes do furacão?

Ele dá de ombros.

— Talvez não como era antes. Durante a reconstrução a península toda sofreu muita gentrificação, mas está prosperando mais do que eu imaginei. Só que é um trabalho em curso, ainda. Vai levar tempo para chegar perto de como era antes. — Ele mostra um ponto atrás de nós. — Foi ali que encontrei o barco do Rake. Talvez ainda haja uns pedaços enterrados nas dunas. Desde o furacão ninguém vasculha muito esta área.

Dou um pedaço de pão a P.J. Ele veio no banco traseiro do carrinho de golfe.

— Será que esse cachorro era de alguém que teve a casa destruída?

— Acho que o único dono que ele já teve foi você.

Dou um sorriso quando ele diz isso, embora saiba que não sou a primeira pessoa que P.J. já amou. Ele responde aos comandos, ou seja, alguém um dia já se dispôs a treiná-lo.

Eu sempre quis um cachorro, mas nunca tive comida suficiente para alimentá-lo. Eu acolhia cães desgarrados, mas uma hora ou outra eles me deixavam por outras famílias que lhes davam de comer com mais frequência.

— O que você vai fazer com ele em agosto? — pergunta Samson, inclinando o corpo por sobre o meu para acariciar P.J.

— Não sei. Estou tentando não pensar nisso.

Neste momento os olhos de Samson encontram os meus, e um pensamento nos perpassa.

O que vou fazer com o cachorro?

O que vamos fazer com *nós dois*?

Qual será a sensação da despedida?

Samson espicha o corpo na areia. Estou de pernas cruzadas, então ele apoia a cabeça em meu colo e me encara, pensativo. Corro a mão por seu cabelo, tentando não pensar em nada para além desde momento.

— O que os outros pensam de você? — pergunta Samson.

— Que pergunta estranha.

Samson me olha com expectativa, como se a estranheza da pergunta não importasse. Eu rio e olho para a água enquanto penso.

— Não sou uma pessoa passiva, então às vezes posso ser considerada meio escrota. Mas em casa, com a minha mãe, era igual. Quando você é julgado com base na pessoa que te criou, não dá para ser muito neutro. Ou você sucumbe a isso e vira quem os outros pensam que você é, ou luta com todas as forças para não ser. — Olho para ele. — O que você acha que os outros pensam de você?

— Acho que as pessoas nem sequer pensam a meu respeito.

Balanço a cabeça, discordando.

— Eu penso. E quer saber o que eu acho?

— O que você acha?

— Acho que quero voltar para o mar com você.

Samson escancara um sorriso.

— Não tem vinagre aqui perto.

— Então faça valer a pena, caso eu me queime outra vez.

Samson se levanta de um salto, então me ergue também. Tiro o short, e ele, a camisa. Segura minha mão, e vamos rompendo as ondas e nos afastando da areia. Quando a água está no meu peito, paramos de avançar e ficamos de frente um para o outro, afundando até a água bater no pescoço.

Estreitamos a distância e nos beijamos.

Toda vez que nos beijamos, parece que deixamos mais um pouco de um dentro do outro. Eu queria saber mais sobre relacionamentos, sobre amor, todas as coisas para as quais me considerava boa demais, ou talvez não o *bastante*. Quero saber como prolongar essa sensação. Quero saber se um cara como Samson poderia se apaixonar por uma garota como eu.

Uma onda arrebenta perto de nós, afastando nossos corpos. A água lambe todo o meu cabelo. Passo a mão no rosto, às gargalhadas, quando Samson volta para perto de mim. Envolve o corpo com minhas pernas, mas mantém as mãos em minha cintura.

Vejo um lampejo de felicidade em seus olhos.

Pela primeira vez.

Já faz quase duas semanas que estou aqui, e é a primeira vez que ele parece totalmente à vontade. É bom saber que ele se sente assim comigo, mas me entristece que não seja algo mais corriqueiro.

— Quais são as coisas que te deixam feliz, Samson?

— Gente rica nunca se satisfaz — devolve ele, na mesma hora. Que triste não ter nem precisado pensar.

— Então o ditado é verdadeiro? Dinheiro não compra felicidade?

— A pessoa pobre tem desejos a alcançar. Objetivos empolgantes. Uma casa dos sonhos, talvez, umas férias, ou até um jantar num restaurante na sexta à noite. Quanto mais dinheiro a gente tem, mais difícil é encontrar coisas que nos empolguem. A casa dos sonhos já existe. Podemos ir a qualquer canto do mundo, a qualquer hora que seja. Contratar um chef para preparar qualquer prato. Quem não é rico acha que essas coisas preenchem a gente, só que não preenchem. Podemos lotar a vida de coisas bacanas, mas coisas bacanas não preenchem o vazio na nossa alma.

— E o que preenche o vazio de uma alma?

Os olhos de Samson analisam meu rosto por uns segundos.

— Pedacinhos da alma de outra pessoa.

Ele me ergue um pouco, tirando uma parte de mim de dentro da água. Roça a boca em minha mandíbula, e quando seus lábios encontram os meus eu estou ávida. Faminta.

Mesmo dentro da água, eu o sinto enrijecer. Ainda assim, nós apenas nos beijamos. O beijo se estende por vários minutos. É ao mesmo tempo pouco e mais do que suficiente.

— Beyah — sussurra ele, junto à minha boca. — Por mim eu fico aqui o resto da vida, mas talvez seja melhor a gente voltar antes que escureça.

Faço que sim, mas volto a beijá-lo. Não quero nem saber se vai escurecer. Samson ri, mas logo se cala e retribui o beijo, com ainda mais urgência.

Queria que ele tivesse mais partes acessíveis. Não consigo parar de alisar seu tórax, os ombros, as costas. Termino nos cabelos, enquanto ele escorrega a boca em meu peito. Sinto o calor de sua respiração em minha pele, bem entre os seios. Ele segura minha nuca, e sinto seu toque no laço de meu biquíni.

Ele me encara em silêncio, pedindo permissão. Eu assinto, e ele puxa lentamente o cordão.

A tira de meu biquíni cai, e Samson se inclina para a frente e beija o alto de meus seios. Bem devagar, começa a baixar os lábios e chega ao mamilo.

Solto um arquejo trêmulo. A sensação de sua língua arrepia toda a minha pele. Fecho os olhos e colo o rosto ao alto de sua cabeça, sem querer que ele pare.

Mas ele para, graças ao som de um motor a distância.

No mesmo instante, quando ouvimos o barulho, ele se afasta. Há uma picape na praia, vindo em nossa direção.

Samson ergue a tira do meu biquíni e a amarra de volta em meu pescoço. Solto um gemido, acho que até faço um bico. Retornamos à areia, embora a picape tenha dado meia-volta e retornado antes de se aproximar.

Em silêncio, ajeitamos nossas coisas no carrinho de golfe. O sol começa a se pôr no outro lado da península, lançando um brilho vermelho e roxo no céu. A brisa do oceano aumentou, e olho Samson por um instante. Ele está contra o vento, de olhos fechados. Guarda uma calma que se estende até mim.

Os humores dele são contagiosos. Fico feliz por ele demonstrar um ou dois, apenas. Nunca me senti tão estável como desde que comecei a passar tantas horas com ele.

— Você já fechou os olhos e simplesmente escutou o oceano? — pergunta ele, abrindo os olhos e se virando para mim.

— Não.

Ele encara a água outra vez, então torna a fechar os olhos.

— Tenta.

Fecho os olhos também, e exalo o ar. A mão de Samson encontra a minha, e ficamos ali parados, em silêncio, de frente para a água.

Tento escutar o mesmo que ele.

Gaivotas.

Ondas.

Paz.

Esperança.

Não sei quanto tempo ficamos ali, pois acabo me envolvendo na meditação. Não sei se alguma vez fiquei parada, de olhos fechados, e simplesmente abandonei os pensamentos.

Deixo tudo ir. Todos eles.

Em dado momento, é como se o mundo entrasse em completo silêncio.

Sou arrancada desse silêncio ao sentir Samson beijando minha nuca. Abro os olhos e respiro fundo.

Então, tudo termina. Jantar, sessão de amasso e um alívio na tensão. Que encontro!

— Cadê seu cachorro? — pergunta ele, enquanto subimos no carrinho de golfe.

Olho em volta, mas não vejo Queijo Pepper Jack em lugar algum. Eu o chamo, mas ele não vem. Meu coração acelera um pouco, o que não passa despercebido.

Samson chama por ele.

Começo a me preocupar, pois estamos longe de casa, e se não o encontrarmos pode ser que ele não consiga voltar.

— De repente ele foi para trás das dunas — diz Samson.

Caminhamos em direção aos montes altos de areia. Samson toma minha mão e me ajuda a escalar as dunas. Quando chegamos ao topo e olhamos o outro lado, sinto um alívio imediato ao ver P.J.

— Ai, graças a Deus — digo, descendo pelo outro lado da duna.

— O que ele está fazendo? — pergunta Samson, vindo atrás de mim. P.J. está a uns três metros de distância, escavando a areia com muita fúria.

— Vai que ele achou uns caranguejos.

Ao me aproximar, fico paralisada. Seja lá o que ele encontrou, não é um caranguejo. Parece...

— Samson? O que é isso?

Samson se ajoelha e começa a revelar o que parecem ossos, no formato de uma mão.

Afasto P.J., mas ele luta para se desvencilhar. Samson agora está cavando, afastando a areia, e vai revelando mais e mais do que obviamente é um braço humano.

— Ai, meu Deus — sussurro, cobrindo o rosto com as mãos.

P.J. se desvencilha e sai correndo. Dispara para o lado de Samson, mas ele o afasta.

— Senta — ordena ele ao cachorro.

P.J. se senta, mas choraminga.

Eu me ajoelho perto de Samson e observo, enquanto ele continua revelando mais da ossada.

— De repente é melhor não encostar — sugiro.

Samson não diz nada. Só continua cavando, até chegar ao ombro do esqueleto. Ainda há uma camiseta presa ao corpo. Rasgada e desbotada, com uma estampa xadrez vermelha. Samson toca um pedaço, que se desintegra em sua mão.

— Será que é um corpo inteiro?

Samson ainda não me responde. Torna a se sentar, encarando a areia.

— Vou pegar meu celular e chamar a polícia — digo, começando a me levantar, mas Samson segura meu punho. Olho para ele e vejo a súplica em seus olhos.

— Não.

— *Oi?* — Balanço a cabeça. — A gente tem que informar.

— Não, Beyah. — Nunca vi sua expressão tão resoluta. — Esse é o cara de quem te falei. O Rake. Estou reconhecendo a camisa.
— Ele torna a olhar o que acabou de descobrir. — A polícia vai enterrar ele como indigente.

— Mesmo assim, a gente tem que informar. É um cadáver. Uma pessoa desaparecida.

Ele balança a cabeça outra vez.

— Ele não era uma pessoa desaparecida. Como te disse, ninguém nem deu pela falta dele. — Pela postura de Samson, vejo que ele não vai mudar de ideia. — Ele ia querer estar no oceano. É o único lugar ao qual ele pertence.

Ambos ficamos em silêncio, refletindo.

Seja lá por que razão, não sinto que essa decisão caiba a mim. Mas também não quero ficar aqui nem mais um segundo.

Samson se levanta e desaparece por detrás da duna. Não tenho qualquer intenção de ficar sozinha com os restos mortais de um ser humano, então vou atrás dele.

Samson caminha rumo à água, então para, a poucos centímetros do mar. Entrelaça os dedos atrás da cabeça. Paro de andar, pois parece que ele precisa de um minuto para processar tudo.

Ele encara a água por um tempo que parece uma eternidade. Dou uns passos atrás, dividida entre fazer o que sei que é certo ou deixar a decisão nas mãos dele. Era ele quem conhecia o sujeito. Não eu.

Depois de um tempo, enfim quebro o silêncio:

— Samson?

Ele não me olha.

— Preciso que você pegue o carrinho de golfe e volte para casa — diz, num tom firme.

— Sem você?

Ele assente, ainda olhando para o outro lado.

— Mais tarde eu te encontro.

— Não vou te deixar aqui. É muito longe para voltar a pé no escuro.

Ele se vira, e agora parece uma pessoa totalmente diferente de quem era há dez minutos. Suas feições estão rígidas; algo acabou de se partir dentro dele.

Ele se aproxima de mim e segura meu rosto. Tem os olhos vermelhos, como se estivesse à beira de um colapso.

— *Por favor.* Vai. Preciso fazer isso sozinho.

Sua voz guarda uma dor. Uma dor que não me é familiar.

Uma agonia que eu esperava sentir ao encontrar minha mãe morta. Mas em vez disso me senti dormente, vazia.

Não sei por que ele precisa disso, mas vejo que sua necessidade de que eu deixe tudo a cargo dele é maior que a minha de discutir.

— Tá bom — sussurro, meneando a cabeça.

Pela primeira vez na vida, sinto uma vontade devastadora de abraçar alguém. Mas não abraço. Não quero que nosso primeiro abraço fique atrelado a um momento tão estranho. Subo no carrinho de golfe.

— Leva o P.J. — diz ele.

Espero enquanto ele retorna à duna, para buscá-lo. Samson retorna com P.J. e o acomoda ao meu lado no carrinho de golfe. Segura o teto do carrinho e diz, num tom impassível:

— Vou ficar bem, Beyah. Mais tarde a gente se vê.

Ele se afasta do carrinho e caminha de volta em direção à duna.

Dirijo para casa, deixando Samson numa cena sobre a qual sei que ele jamais me dará explicação, e sobre a qual certamente não voltará a falar.

Dezoito

Óbvio que estou preocupada com Samson. Mas, quanto mais tempo passo sentada à espera dele, mais penso se além de preocupação eu deveria sentir raiva.

Não foi justo ele me pedir para ir embora, mas aquele olhar me deu a impressão de que jogar os restos mortais de Rake no oceano era muito mais importante para ele do que avisar à polícia era para mim.

Já vi umas coisas bem perturbadoras na vida. Por mais surpreendente que pareça, escavar uns ossos numa duna e jogá-los no oceano nem é tão chocante assim. Não sei o que isso diz a meu respeito. Ou a respeito de Samson, falando nisso.

Por mais que eu não esteja com raiva, estou agoniada. Com um bolo no estômago. Já faz quase quatro horas desde que cheguei em casa. Para ajudar o tempo a passar, tomei banho, jantei e joguei conversa fora com meu pai e Alana. Mas minha mente ainda está em Samson, do outro lado daquela duna.

Agora estou sentada junto à fogueira, encarando a casa escura de Samson. À espera.

— Cadê o Samson? — pergunta Sara.

Ótima pergunta.

— Ajudando uma pessoa. Daqui a pouco ele volta.

Bebo um pouco de água, para lavar a boca da mentira. Uma parte de mim quer contar a verdade a Sara, mas sei que não devo. O que é que eu ia dizer? *Então, Sara, a gente achou os restos mortais de um cara na praia, e agora o Samson está escavando tudo e jogando os ossos no oceano.*

Pois é, ela não aguentaria algo dessa magnitude.

— E aí, como foi o beijo? — pergunta Sara.

Olho para ela, que me encara, toda esperançosa.

Tenho a sensação de que ela provavelmente preferiria uma irmã-postiça com quem varasse a noite fofocando enquanto uma penteava o cabelo da outra. Fico triste por essa não ser a realidade. Em vez disso, ganhou Beyah. A chata de galocha.

— Sendo bem sincera, o beijo foi meio deprimente.

— Oi? Por quê?

— Não estou dizendo que foi ruim. Ele beija superbem. É só que... ele é sempre tão sério. E eu também. É difícil rolar um beijo divertido, sexy, quando nenhum dos dois tem nada de divertido. — Solto um suspiro e recosto a cabeça na cadeira. — Às vezes eu queria ser mais parecida com você.

Sara ri.

— Se você fosse mais parecida comigo, o Samson não ia te olhar do jeito que olha.

Abro um sorriso. Talvez ela tenha razão. Algumas pessoas combinam, simples assim. Eu não combino com Marcos, ela não combina com Samson.

Só desejo que nosso outono e inverno se encaixem tão bem quanto o verão.

Sara ergue as mãos quando o som começa a tocar uma música nova, que nunca ouvi antes.

— Eu amo essa música!

Ela dá um pulo e começa a dançar. Marcos se levanta e dança junto. Não é uma música lenta, então os dois saltitam e rodopiam, como se não tivessem nenhuma preocupação na vida.

Observo a dança, até que a música acaba e Sara desaba outra vez na cadeira, resfolegante. Espicha a mão e apanha uma garrafa de bebida enfiada na areia.

— Aqui — diz, estendendo a mim. — O álcool deixa tudo mais divertido.

Levo a garrafa à boca e finjo dar uma golada. Prefiro ser uma chata a me transformar na minha mãe, por isso não tenho a menor vontade de beber. Mas finjo, pelo bem de Sara. Já estou muito para baixo hoje à noite, e não quero negar sua oferta e fazê-la se sentir culpada por beber. Quando devolvo a garrafa a Sara, algo atrás dela me chama a atenção.

Até que enfim. Já se passaram quatro horas.

Samson vai ter que passar por nós para chegar em casa. Está coberto de areia. Parece cansado. Ao fazer contato visual, parece até meio culpado. Ele desvia o olhar rapidamente, mas vira o corpo ao passar por nós. Ergue os olhos outra vez e vai andando para trás. Inclina a cabeça em direção a sua casa, dá meia-volta e desaparece na escuridão.

— Você está sendo intimada — diz Sara.

Permaneço sentada, sem querer parecer muito ansiosa para ir atrás dele.

— Não sou cachorro.

— Vocês dois estão brigados?

— Não.

— Então vai lá. Eu gosto quando o Marcos me intima. Geralmente é coisa boa. — Ela olha para Marcos. — Ei, Marcos, me intima aí.

Marcos inclina a cabeça. Sara dá um pinote da cadeira, caminha até ele e se joga dramaticamente em seu colo. A cadeira desaba, e os dois caem na areia. Marcos ainda segura a cerveja no ar. Não deixou cair nenhuma gota.

Deixo os dois sozinhos e rumo à casa de Samson. Ao me aproximar, ouço o chuveiro de fora. Vou avançando pelo piso de concreto do térreo. Nunca ficamos aqui embaixo, mas é bacana. Além do chuveiro, tem um bar e duas mesas. Não sei por que ele nunca passa as noites aqui, em vez de ir à praia. Samson tem o tipo de casa bacana para festas, mas não parece o tipo de cara que gosta de dar festas.

Não vejo o short de Samson perto do chuveiro e concluo que ele ainda esteja vestido. O box não tem porta. As paredes são de madeira e o espaço é em forma de L, de modo que preciso virar à esquerda para vê-lo.

Ele está de costas, com as mãos espalmadas na parede e a água batendo na nuca. A cabeça está inclinada para baixo, entre os ombros.

— Desculpa — diz, baixinho. Ele se vira para mim e afasta o cabelo molhado da testa.

— Pelo quê?

— Por te colocar nessa posição. Por querer que você guarde meus segredos, sendo que eu não te conto nada.

— Você não me pediu para guardar segredo. Só pediu para não chamar a polícia.

Ele corre a mão pelo rosto e volta para debaixo da água.

— Você contou a alguém?

— Não.

— Vai contar?

— Se você não quiser, não.

— Prefiro que fique entre nós.

Em silêncio, eu aquiesço. Não acho tão difícil guardar segredos. Sou graduada nisso.

De certa forma, gosto do fato de Samson ser um livro fechado. Não dá para desgostar de um livro que ainda não foi lido. Mas acho que só tenho paciência por ele ter afirmado que uma hora me contaria todas as verdades. Do contrário, talvez eu não achasse que valeria a pena.

— Acho que tem mais coisa nessa história com o Rake — digo. — Você vai me explicar no dia dois de agosto, junto com as outras respostas que está me devendo?

Ela assente.

— A-hã. Vou contar, sim.

— Vou começar a fazer uma lista de todas as perguntas para as quais quero respostas.

Ele contorce os lábios, como se achasse graça.

— E eu vou responder tudo no dia dois.

Eu me aproximo dele.

— Jura?

— Juro.

Ele ergue uma das mãos. Vejo sujeira sob as unhas.

— Você escavou tudo?

— Tudo.

— E tem certeza de que era o Rake?

— Absoluta.

Ele parece e soa exausto. Talvez triste, até. Estou mesmo achando que Rake tinha mais importância na vida de Samson do que ele deixa transparecer. Olho seu colar, então o encaro outra vez. Ele crava os olhos em mim e deixa a água escorrer.

Minha roupa começa a molhar com os respingos do chuveiro, então tiro a camiseta e largo junto à parede do box. Apenas de short e com a parte de cima do biquíni, entro e ajudo Samson a limpar as unhas. Ele fica paradinho, na maior paciência, enquanto removo a sujeira de cada unha e lavo com sabonete.

Quando termino, Samson pega minha mão e me puxa para debaixo do chuveiro. Nós nos beijamos. Ele recosta o corpo na parede, e eu o acompanho, saindo de baixo da corrente da água.

É um beijo preguiçoso. Suas mãos repousam em minha cintura, e ele me deixa conduzir o momento.

Contra a parede, pressiono os seios em seu peito e aperto sua nuca. *Não devia ter dito a Sara que o beijo foi deprimente. É uma descrição horrível.*

Estável é uma palavra melhor.

Todos os nossos beijos parecem importantes, como se fossem perdurar para sempre. Não são demonstrações de afeto breves e fugazes. Guardam algo maior do que atração. Neste exato momento esse algo maior é uma tristeza, da qual quero livrá-lo, mesmo que por uns poucos minutos.

Deslizo a mão direita por seu peito, até encontrar o elástico do short. Mergulho os dedos lá dentro, e Samson respira fundo. Quando o toco pela primeira vez, interrompemos o beijo. Ele crava os olhos nos meus com intensidade, como se dissesse que não preciso fazer isso, mas ao mesmo tempo implorasse para que eu siga em frente.

Eu o pego com firmeza, e ele joga a cabeça para trás, com um suspiro.

— Beyah — sussurra ele.

Beijo seu pescoço e vou deslizando a mão bem devagar, para cima e para baixo. Ele é mais complexo que Dakota. Isso não me surpreende. Em quase todos os sentidos, Samson é mais complexo que qualquer pessoa que já conheci.

Abaixo seu short com a mão esquerda apenas o suficiente para deixá-lo mais livre. Passamos uns dois minutos assim. Samson sentindo meu toque, respirando com mais força e intensidade, segurando minha cintura com mais firmeza a cada movimento. Olho para ele o tempo todo, incapaz de me desviar. Às vezes ele me olha, e às vezes estreita os olhos, como se não fosse aguentar.

Quando começa a contrair os músculos, ele segura meus cabelos e puxa com delicadeza, inclinando minha cabeça para trás e encaixando sua boca na minha. Dá dois passos ligeiros e empurra meu corpo na parede oposta, me beijando com uma força que eu ainda não tinha sentido em nenhum dos beijos anteriores.

Eu ainda o seguro, e parece que ele não consegue respirar e me beijar ao mesmo tempo, pois seu corpo desaba, a cabeça apoiada na minha. Ele leva a boca ao meu ouvido.

— *Porra* — solta, num gemido gutural.

Um arrepio me percorre o corpo, enquanto ele estremece junto a mim. Continuo a acariciá-lo até sentir seu visco quente em minha mão, e por fim ele suspira e enterra o rosto em meu pescoço.

Depois de um instante, ele recupera o fôlego e alcança o chuveirinho. Lava o próprio corpo e minha mão, então larga o chuveirinho no chão e recomeça a me beijar.

Ele respira como se tivesse acabado de correr uma maratona. A essa altura, acho que também estou respirando assim.

Quando ele enfim se afasta e olha para mim, vejo que livrei um pouco do peso de seu olhar. Era tudo o que eu queria. Ajudá-lo a aliviar a sensação dos acontecimentos desta noite, seja lá o que tenha acontecido.

Beijo com carinho o cantinho de sua boca, pronta para me despedir, mas ele corre os dedos por meu cabelo molhado.

— Quando é que você vai me deixar te abraçar? — sussurra, com olhos suplicantes, como se precisasse mais de um abraço do que de tudo que acabei de entregar.

Eu me deixaria abraçar agora, sem dúvida, se não estivesse com tanto medo de chorar. Percebendo o conflito em meus olhos, ele apenas assente e beija minha cabeça.

— Boa noite — sussurro.

— Boa noite, Beyah.

Ele desliga o chuveiro, e eu pego minha camisa, visto e vou embora.

Dezenove

Todas as cinco casas de Samson foram alugadas para o feriado de quatro de julho, então ele está passando uns dias com Marcos.

Faz uma semana que ele encontrou Rake. Não conversamos a respeito. Falta menos de um mês para o dia dois de agosto, quando terei todas as minhas respostas. Não estou nem um pouco ansiosa. Dois de agosto, para mim, significa apenas o dia em que diremos adeus um para o outro.

Estou tentando manter o foco no presente.

Hoje a praia está tão louca, que não queremos ir para lá. Estamos na sacada de Marcos. A casa dele fica a umas quadras de distância da praia, por isso estamos aqui. Há tanta música, barulheira e gente bêbada quanto em frente a qualquer bar do Texas, e nenhum de nós está a fim de ficar perto daquela bagunça.

Hoje, jantamos com a família de Marcos. Ele tem duas irmãs pequenas, e não faltaram agitação, comilança e conversas. Samson parecia muito à vontade com a família de Marcos, o que me fez imaginar como ele deve se comportar diante da própria família.

Será que eles comem juntos, como meu pai e Alana gostam de fazer? Será que me aceitariam se chegassem a me conhecer?

Algo me diz que não, ou Samson não seria tão reservado em relação a eles.

Hoje, no entanto, eu me sinto aceita. Aceita e bem alimentada. Meu objetivo de ganhar peso neste verão foi alcançado com louvor. Não sei nem se ainda caibo na calça jeans que comprei no dia em que cheguei. Passei quase o verão todo de short e biquíni.

O sol acabou de se pôr, mas os fogos de artifício começaram faz um tempo. Agora, já quase noite, estão ficando mais intensos, estourando por toda a península.

— Os fogos de Galveston vão começar daqui a pouquinho — diz Sara. — Eu queria que desse para ver daqui.

— Do telhado da Marjorie a vista é boa — diz Samson.

— Será que ela deixa a gente usar? — pergunto.

Samson dá de ombros.

— Se estiver acordada, deixa.

Marcos se levanta.

— Ninguém consegue dormir com essa barulheira.

Caminhamos até a casa de Marjorie, junto com P.J., que nos aguardava atrás da casa de Marcos.

Ao nos aproximarmos, vemos que Marjorie está na varanda, assistindo à comoção na praia.

— Achei que vocês viessem mais cedo — diz ela, ao nos avistar, e aponta a porta da frente. — Fiquem à vontade.

— Valeu, Marjorie — responde Samson.

Dentro da casa, Sara e Marcos sobem a escada primeiro, depois eu vou. Quando chegamos à entradinha do telhado, Sara sobe, mas logo se ajoelha. Marcos tenta erguê-la, mas ela balança a cabeça.

— É muito alto. Não consigo me mexer.

Samson ri.

— Tenta subir até o meio. Daí só vai ver o céu, em vez do chão.

Sara engatinha até o centro do terraço. Vamos todos juntos, e eu me sento ao lado dela. Samson se senta comigo.

— Como é que você consegue andar aqui em cima? — pergunta Sara a ele.

— Não olho para baixo — responde Samson.

Sara cobre o rosto, tentando aliviar a tontura.

— Eu não fazia ideia de que tinha medo de altura.

— Vem cá, bebê — diz Marcos, passando o braço em volta dela.

Ela se aproxima de Marcos, e ao ver os dois abraçados percebo que Samson e eu não estamos nem nos tocando. Olho para ele, que observa os fogos de artifício estourando em algum ponto da praia.

— A Marjorie é sozinha? — pergunto a ele.

Ele me olha e sorri.

— Não. Tem um filho. É advogado, mora em Houston. Ele vem visitar umas duas vezes por mês.

Isso me deixa feliz.

Samson vê o alívio em meu rosto, então se inclina e me dá um selinho.

— Você é um amor — sussurra ele. Agarra minha mão, entrelaça os dedos nos meus, e olhamos os fogos de artifício em silêncio.

Quanto mais tempo se passa, mais fogos estouram. Estão por toda a baía, vindo de Galveston. De alguma forma, há fogos estourando até no meio do oceano.

Marcos olha para Sara e diz:

— Teria sido um ótimo momento te pedir em casamento, com esse cenário cheio de fogos. Pena que a gente só se conheceu no feriado de primavera.

— Me traz aqui de volta ano que vem — diz ela. — Eu finjo que essa conversa nunca aconteceu.

Os dois me fazem rir.

Uns minutos depois, Sara diz a Marcos que precisa descer, pois está enjoada. Os dois descem, mas Samson e eu permanecemos no telhado de Marjorie.

Percebo que estou olhando mais para ele do que para os fogos. Ele parece fascinado por tudo.

— Nunca vi Darya tão bonita — sussurra Samson.

Calma aí. *Oi?* Darya é o nome da garota que ele disse ter partido seu coração.

— Olha como reflete os fogos de artifício — diz ele, apontando para o oceano. Olho para onde ele aponta, então volto para ele, confusa.

— Você está chamando o *oceano* de Darya?

— Isso — responde ele, num tom pragmático. — Darya quer dizer *mar*. Era assim que o Rake a chamava.

— Você me falou que Darya foi uma ex-namorada que destruiu o seu coração.

Samson ri.

— Eu falei que Darya destruiu o meu coração, mas nunca disse que era uma garota.

Tento voltar àquela conversa. Ele estava falando da *água* o tempo todo?

— Como é que o oceano pode destruir o coração de alguém?

— Eu vou te contar no...

— Dia dois de agosto — concluo, revirando os olhos. Eu me remexo e meto a mão no bolso, atrás do celular. — Estou anotando. Você me deve muitas explicações.

Samson ri.

— Posso ver a lista?

Acrescento o último tópico e entrego o celular a ele. Samson começa a ler.

— *Por que você não gosta de falar dos negócios do seu pai? Quem era o cara no restaurante? Qual foi a pior coisa que você já fez? Por que você não gosta de falar da sua família? Qual é a história toda com o Rake? Com quantas garotas você já transou?* — Ele para e me olha um instante, então retorna à lista. — *Qual é o seu nome completo? Por que o oceano destruiu o seu coração?*

Ele encara meu celular um instante, então me devolve.

— Dez — diz ele. — Mas na verdade só me lembro de nove. Minha memória de uma das garotas é meio turva.

Dez. É muito, se comparado a mim, mas não tanto em relação ao que imaginei sobre seu passado. Ele poderia ter dito cinquenta, e não sei se ficaria surpresa.

— Dez não é muita coisa.

— Comparado ao seu único cara, é — devolve ele, provocativo.

— Só achei que fossem mais. Do jeito que a Sara falava de você, parecia que você transava com uma garota por semana.

— Eu raramente transo com elas. Mas não faço ideia de com quantas fiquei. E, por favor, não me pergunte isso no dia dois, que eu não terei condições de responder.

Uma forte rajada de fogos de artifício começa a estourar bem à nossa frente. Samson desvia a atenção de mim, mas eu continuo a encará-lo.

— Às vezes fico pensando se realmente quero as respostas de todas essas perguntas. Acho que o mistério que te rodeia talvez seja uma das coisas que mais gosto a seu respeito. Ao mesmo tempo é uma das coisas que eu *menos* aprecio em você.

Samson não me olha.

— Quer saber qual é a coisa que eu mais gosto em você?
— Qual?
— Você é a única pessoa que já conheci que gostaria mais de mim se eu fosse pobre.

Essa é a pura verdade.

— Tem razão. O dinheiro é a coisa de que eu menos gosto em você, com certeza.

Samson beija meu ombro. E olha outra vez para a água.

— Fico feliz por você ter aparecido neste verão, Beyah.
— Eu também — sussurro.

Vinte

Não gosto de pílula anticoncepcional. Já faz quase uma semana que estou tomando e sinto as emoções todas bagunçadas. Estou começando a sentir as coisas com ainda mais intensidade do que quando cheguei aqui. Em alguns momentos sinto muita saudade da minha mãe. Em outros convenço a mim mesma de que estou apaixonada por Samson. Em certas horas me empolgo em levar uma conversa com meu pai.

Não sei quem estou me tornando, mas não sei ao certo se gosto. Duvido que tenha qualquer coisa a ver com a pílula, mas é bom poder botar a culpa em algo.

Samson passou o dia na rua. Sara e eu ficamos um tempo a sós na praia, sem ele e Marcos. Já passou da hora do jantar e sentimos fome, e estamos recolhendo nossas coisas quando três caras começam a montar uma rede de vôlei na praia, entre nossa casa e a de Samson. Depois de guardamos as cadeiras no térreo de casa, olho de volta para os rapazes.

Sinto uma leve pontada no peito, como se sentisse falta do voleibol.

Jamais imaginei que isso fosse acontecer.

— Vou perguntar se posso jogar com eles — digo. — Quer vir também?

Sara balança a cabeça.

— Quero tomar um banho. Estou com areia na bunda. — Ela ruma para a escada. — Mas se divirta. Acabe com eles.

Quando chego perto dos caras, eles estão prestes a começar um jogo em dupla.

Um dos rapazes está sentado junto à linha lateral invisível, e os outros dois estão em posição para começar o jogo.

— Oi — digo, interrompendo-os. Todos se viram e olham para mim. Agora que estou mais perto, sinto-me um pouquinho intimidada. Vi os tamanho dos caras, e talvez faça papel de idiota. — Precisam de mais um?

Os três se entreolham.

— Tem certeza? — diz o mais alto, com um sorrisinho afetado.

O sorriso me irrita.

— Tenho. Posso até ser justa e fazer dupla com o pior dos três.

Eles riem. Então dois deles apontam para o cara ainda sentado na areia.

— O pior é ele.

— Verdade — concorda o sujeito sentado. — Eu sou péssimo.

— Ótimo. Vamos jogar.

P.J. está sentado a meu lado. Eu o conduzo até um ponto fora do caminho e mando que sente.

Antes de começarmos, os caras se apresentam. Minha dupla se chama Joe. O mais alto se chama Topher, e o outro, Walker. Walker manda um saque direto para mim, e devolvo tranquilamente a bola por cima da rede.

Walker passa a bola a Topher, que tenta um corte em minha direção. Numa fração de segundo, dou um salto junto à rede e bloqueio.

— Impressionante — murmura Topher, quando marco o primeiro ponto.

Acerto três cortes antes mesmo de Joe tocar na bola.

Faz tempo que não me exercito, então percebo que me canso mais depressa do que de costume. Boto também na conta da pílula. E da areia. Eu nunca havia jogado na areia.

Eles marcam mais dois pontos, até que enfim chega o nosso side-out. Estou prestes a sacar, quando vejo Samson parado na sacada.

Está me encarando, olhando nosso jogo. Eu aceno, mas ele não responde.

Será que está com ciúme?

Ele se afasta da sacada e entra em casa.

Que porra foi essa?

Não vou mentir, fico irritada para caramba. Samson sabe que jogo voleibol. Eu devia poder jogar uma partida inocente sem que ele achasse que estou dando em cima desses caras.

A raiva impulsiona meu saque, e aplico mais força do que pretendia. Por sorte, a bola não vai para fora, mas aterrissa bem na linha.

Era essa a minha preocupação. Quanto mais tempo passo com Samson, mais podem vir à tona partes dele que eu não necessariamente aprecio. Ciúme, sem sombra de dúvida, é uma coisa que não aprecio.

Concluímos um rally curto, e dou uma olhadela para a sacada. Ele ainda não saiu.

Direciono toda a raiva e energia para o jogo. Dou um impulso em direção à bola e caio de joelhos. Caio mais três vezes antes que Joe sequer toque a bola outra vez. Quando este jogo acabar vou estar da cor de uma berinjela.

Marcamos um ponto e empatamos em quatro a quatro. Joe se aproxima e bate a palma na minha.

— Acho que vai o primeiro jogo que vou ganhar na vida — diz ele.

Dou uma risada, mas meu sorriso murcha quando vejo Samson descendo a escada de casa. Se ele vier até aqui e fizer cena, vou ficar com muita raiva.

Ele está vindo. Está vindo para cá.

E está trazendo... *uma cadeira.*

— Atenção — grita Joe.

Olho para cima e vejo a bola voando até mim, quase saindo do meu alcance. Mergulho para defender e encho a boca de areia, dando sem querer um passe que meu parceiro não consegue pegar.

— Levanta, Beyah! — grita Samson.

Eu me levanto e olho para ele, que vem caminhando em nossa direção, segurando a cadeira. Acomoda-a no chão, perto de P.J., a cerca de um metro e meio da rede, então se senta e ajeita os óculos escuros na cabeça.

— Vai, Beyah! — grita ele, com as mãos em concha junto à boca.

O que ele está fazendo?

A bola desta vez vai para Joe, que enfim consegue fazer um passe à perfeição. Mal sabem eles que eu era a melhor atacante da minha equipe.

Lanço a bola bem entre Topher e Walker. Quando ela toca a areia e marcamos ponto, Samson dá um pulo da cadeira.

— Isso aí! — grita ele. — Manda mais, Beyah!

Quando me dou conta, meu queixo desaba. Samson se lembrou do que eu disse a ele, que ninguém nunca foi a nenhum dos meus jogos.

Ele veio até aqui para torcer por mim.

— Quem é esse cara? — pergunta Joe, olhando para Samson.

Samson sobe na cadeira.

— Beyah! Beyah! — entoa ele.

Talvez seja a coisa mais cafona que já vi na vida. Um cara, sozinho em meio a uma plateia invisível, gritando a plenos pulmões para uma garota que ele sabe que nunca teve torcida.

É a coisa mais tocante que alguém já fez por mim.

Topher saca a bola, e fico chocada em ver que consigo acertá-la, em meio à nuvem de lágrimas sobre meus olhos.

Bosta de emoções. E pode pôr na conta da pílula, também.

Por um longo intervalo, Samson não fecha a matraca. Sinto que ele está irritando os caras, mas acho que nunca sorri tanto em toda a minha vida. Eu sorrio em todas as quedas, todos os pontos, todas as vezes em que perco o fôlego. Sorrio porque nunca aproveitei tanto um jogo de voleibol. Sorrio, porque Samson me fez perceber como eu estava com saudades de jogar. Vou comprar uma bola de vôlei hoje. Preciso retomar os treinos.

Não que eu esteja tão ruim quanto Joe. Ele está fazendo o melhor que pode, mas estou sustentando esse jogo sozinha. Num dado momento, ele perde o fôlego de tal forma que simplesmente chega para o lado, e passo uns bons trinta segundos fazendo todo o trabalho sozinha.

Quase no fim do jogo, estamos só um ponto atrás, milagrosamente. Se eu conseguir mais um pontinho, saio vencedora.

Ao erguer a bola para sacar, percebo que Samson está calado. Ele me encara atentamente, como se estivesse curtindo de verdade. Então abre um sorrisinho sutil e faz um joinha cafona. Prendo a respiração, completo o saque e torço para que caia na areia, do outro lado da rede.

O saque é curto. Topher e Walker mergulham para pegar, mas eu sei que nenhum vai conseguir. *ACE!* Quando a bola toca a areia com um baque surdo, Samson pula da cadeira.

— Você conseguiu!

Fico parada, em estado de choque.

Eu consegui. Diria *conseguimos*, mas Joe de fato não ajudou muito. Bato minha palma na dele e recebo os cumprimentos dos outros dois.

— Você é muito boa mesmo — diz Topher. — Quer jogar mais uma?

Olho Samson e balanço a cabeça, esforçando-me para recuperar o fôlego.

— Hoje não. Mas, se vocês voltarem amanhã, estarei por aqui.

Eu me despeço deles e corro até Samson, que me recebe com o maior sorrisão. Penduro os braços em seu pescoço, e ele me ergue e dá um rodopio. Quando meus pés retornam à areia, ele não me solta.

— Você é lendária, porra — diz ele, limpando a sujeira do meu rosto. — Uma lenda imunda.

Eu dou uma risada e Samson me puxa mais para perto. Pressiona a bochecha no topo de minha cabeça e me aperta.

Ao mesmo tempo que ele, eu percebo o que está acontecendo entre nós. Sinto seu corpo dar uma pausa, como se estivesse em dúvida entre me soltar ou apertar com mais força.

Pressiono o rosto em sua camisa.

Solto o pescoço de Samson e desço meus braços até sua cintura. Fecho os olhos, absorta nessa proximidade.

Ele me aperta um pouco mais, corre as mãos por minhas costas e solta um suspiro. Ajeita o corpo um tantinho, e eu me encaixo ainda mais a ele.

E ficamos assim, enquanto o mundo gira à nossa volta. Ele me abraçando. Eu permitindo.

E *querendo*.

Eu não fazia ideia de que seria tão bom. Nada disso. Todos os momentos que passo com ele são empolgantes, emocionantes, e sinto todos bem no meio do peito. É como se ele despertasse uma parte de mim que passou dezenove anos adormecida. Eu gosto de tanta coisa que jamais pensei ser capaz de gostar.

Gosto de ser beijada por alguém que me respeita de verdade. Amo saber que ele me ergueu do chão e deu um rodopio, de tanto orgulho de mim. Que saiu de casa para gritar feito idiota na torcida de um jogo besta de vôlei de praia, só para me animar.

Num dado momento do abraço, eu começo a chorar. Não é um choro perceptível, mas sinto umas lágrimas descendo por minhas bochechas.

Honestamente, não sinto que estamos perto o suficiente, por mais que estejamos colados um ao outro. Quero me fundir com ele. Quero ser parte dele. Quero ver se o faço se sentir tão vivo quanto ele me faz.

Parece que ele sabe que não quero soltá-lo. Ele me ergue até que eu consiga enganchar as pernas em sua cintura, então me leva direto para sua casa, para longe da praia, para longe dos caras.

Quando chegamos, ele me põe de pé. Com relutância, me afasto e olho para ele, mas no térreo da casa, com o sol já se pondo, não consigo vê-lo tão bem quanto gostaria. Não sobrou muita luz, e seus olhos estão cobertos pela sombra. Ele estende as mãos e seca minhas lágrimas com os polegares. Então me beija.

O gosto é uma mistura de lágrimas e grãos de areia.

Eu me afasto.

— Preciso tomar um banho. Estou com areia por todo lado.

— Usa o chuveiro aqui de fora — responde ele, apontando para o box.

Não desfaço nossas mãos dadas enquanto caminhamos até lá. Meu corpo todo dói, e ainda estou meio sem fôlego. Samson tira a camiseta, larga no chão e entra debaixo do chuveiro. Abre a água e dá espaço para que eu entre. Abro a boca, para lavar um pouco da areia. E beber um pouco de água.

Tiro o chuveirinho do suporte e lavo meu corpo cheio de areia. Samson se recosta na parede e não tira os olhos de mim.

Eu gosto de como ele me olha. Por mais escuro que esteja, ainda mais neste chuveiro, ele parece sorver cada milímetro do meu corpo.

Quando termino de me lavar, recoloco o chuveirinho no suporte. Samson sai do alcance de minha visão. Então, eu o sinto atrás de mim. Ele vem deslizando o braço e pressiona a mão espalmada em meu estômago.

Inclino a cabeça em seu ombro e viro o rosto para ele. Samson encosta a boca na minha.

Nós nos beijamos nessa posição — eu de costas para ele, ele me abraçando por trás. Sua mão vem subindo até desaparecer por sob o meu biquíni.

Ele cobre meu seio com a mão em concha, e eu solto um arquejo, sorvendo sua respiração. Então, a outra mão começa a descer até minha barriga. O polegar entra pela bordinha do biquíni, e ele afasta a boca da minha. Ao me olhar nos olhos, recebe a resposta.

Não quero que ele pare.

Deixo os lábios entreabertos, antecipando o próximo passo.

Ele encara meu rosto, e sua mão desaparece por entre minhas pernas. Arqueio o corpo, solto um gemido, e ele aplica ainda mais pressão.

Desde a noite do primeiro beijo eu imagino como seria essa sensação. O toque real dele deixa minha imaginação no chinelo.

Meu tempo de reação é curtíssimo. Numa rapidez constrangedora, meu corpo todo começa a estremecer entre seus dedos. Estendo o braço para trás e agarro sua coxa. Ele se apoia na parede e vem me puxando junto, sem interromper o ritmo. Por sorte, quando não aguento a intensidade, ele cobre minha mão com a sua e abafa todos os meus sons.

Quando tudo acaba, ele ainda está me beijando. Recolhe a mão que está entre minhas pernas e me vira de frente para si.

Desabo por cima dele, totalmente sem fôlego, com os braços moles e as pernas doloridas. Solto um suspiro pesado.

— Quero fazer uma tatuagem — diz Samson.

Junto ao peito dele, solto uma risada.

— É *nisso* que você está pensando agora?

— Já pensei em outra coisa. Só não falei em voz alta.

— Que coisa? — Olho para ele.

— Acho que está óbvio.

Balanço a cabeça.

— Não está, não. Acho que você vai ter que me contar.

Ele abaixa a cabeça e traz os lábios ao meu ouvido.

— Não vejo a hora de termos a nossa primeira vez — sussurra ele, antes de sair do chuveiro, como se aquilo jamais tivesse sido verbalizado. — Quer uma?

Estou meio em choque, eu acho, então levo uns segundos para responder.

— Uma o quê?

— Tatuagem.

Eu nunca tinha pensado nisso até este momento.

— Acho que quero.

Samson põe outra vez a cabeça debaixo do chuveiro e abre um sorriso.

— Olha só nós dois, querendo fazer tatuagem. Com certeza somos divertidos, Beyah.

Vinte e um

— Tenho uma ideia — diz Marcos, com a boca cheia de comida. — O meu amigo Jackson.

Hoje é noite de jantar batismal. Café da manhã outra vez. Não estávamos falando sobre nada específico, então ninguém sabe a que Marcos está se referindo. Nós o encaramos com olhares inexpressivos, e ele aponta para Samson.

— O Jackson tem cabelo loiro-escuro. Olhos azuis. A estrutura do rosto de vocês é diferente, mas duvido que fiquem olhando muito a sua identidade num estúdio de tatuagem.

Ah. Samson perdeu a carteira, e faz três dias que falou sobre fazer uma tatuagem.

Não dá para fazer tatuagem sem levar a identidade, e ele revirou a casa de cima a baixo nesses três dias, mas não teve sorte. Está achando que os últimos inquilinos talvez tenham encontrado e levado embora. Disse que o documento fica sempre em sua mochila, mas nós dois procuramos e não encontramos. As outras coisas todas estavam. Não sei como ele carrega aquela mochila com tanta facilidade por aí; o troço deve pesar uns vinte quilos.

Samson rumina sobre a sugestão de Marcos, então dá de ombros.

— Vale a tentativa.

— Estúdio de tatuagem? — pergunta meu pai. — Quem é que vai se tatuar?

— Esses dois — responde Sara de imediato, apontando para mim e Samson. — Eu não.

— Graças a Deus — murmura Alana.

Sei que sou só a filha do marido dela, mas esse comentário dói. Ela não se incomoda que eu faça uma tatuagem, mas é óbvio que fica aliviada em saber que a própria filha não vai entrar nessa.

Meu pai me olha e diz:

— Vai tatuar o quê?

Aponto para o punho.

— Alguma coisa bem aqui. Só não sei ainda o quê.

— E quando é que vocês vão?

— Hoje à noite — responde Marcos, segurando o celular. — O Jackson falou que a gente pode passar lá e pegar a carteira de motorista dele emprestada.

— Legal — diz Samson.

— Já sabe que desenho vai fazer, Samson?

— Ainda não — diz ele, enfiando uma garfada de ovos na boca.

Meu pai balança a cabeça.

— Vocês dois vão marcar o corpo com tinta pelo resto da vida daqui a umas horas, e nenhum dos dois sabe que desenho tatuará?

— Temos que pegar a balsa até lá — diz Samson. — Temos muito tempo para pensar. — Samson afasta a cadeira e se levanta. Com uma fatia de bacon na mão, leva o prato até a cozinha. — É melhor a gente ir andando. É domingo e a fila da balsa deve estar enorme.

— Beyah — diz meu pai, em tom de súplica. — De repente era bom você tirar umas semanas para refletir.

Que comentário típico de pai. Acho que gosto.

— Confia em mim, pai. Vou ter muitos outros arrependimentos na vida além de uma tatuagem.

Quando digo isso, meu pai hesita. Minha intenção era fazer uma brincadeira, mas agora ele parece genuinamente preocupado com minha capacidade de tomar decisões.

●

O estúdio de tatuagem está vazio, e acho que isso foi uma vantagem para nós. Quando o cara pegou a carteira de motorista falsa de Samson, olhou para Samson, então para o documento. Balançou a cabeça, mas não disse nada. Apenas desapareceu por uma porta para tirar cópias dos documentos.

Mais cedo, quando Marcos retornou ao carro com a carteira de motorista de Jackson, eu não consegui parar de rir. Ele é, pelo menos, uns vinte quilos mais magro que Samson e deve ser uns doze centímetros mais baixo. Marcos disse a Samson que ele poderia dizer que andava puxando ferro, caso o cara do estúdio não acreditasse.

Eles nem questionaram. Se eu fosse Samson, ficaria ofendido.

— Devem estar desesperados por clientes — sussurro. — Nem te perguntaram nada.

Samson me empurra um álbum de fotografias, cheio de ideias de tatuagens. Pega outro para si, e começamos a folhear.

— Quero uma coisa delicada — digo, olhando imagens de corações e flores, mas nada me atrai.

— Eu quero o oposto de delicado — diz Samson.

Qual é o oposto de delicado? Vou passando as folhas, e mais para o fim do álbum me deparo com desenhos que parecem ser do estilo de Samson, mas acho que ele não vai gostar de nenhum. Quando chego à última página, fecho o álbum e tento me concentrar.

Delicado para mim quer dizer gracioso, suave, frágil. O que seria o oposto disso? Força? Durabilidade? Ameaça, talvez?

Neste exato momento, descubro o que ele precisa tatuar. Abro o celular e procuro imagens de furacões. Passo por várias, então encontro uma que acho que ele vai amar.

— Encontrei um desenho que você devia fazer.

— Tá bom — responde Samson, sem nem tirar os olhos de seu álbum. Ainda passando as folhas, ele retorce o braço esquerdo.

— Quero bem aqui. — Ele mostra um ponto na parte interna do antebraço. — Mostre o desenho ao cara, para ele começar logo.

— Mas você não quer ver primeiro?

Samson olha para mim.

— Você acha que eu vou amar?

Faço que sim.

— Acho.

— Então é a tatuagem que eu quero.

Seu jeito é pragmático, como se não houvesse dúvida de que essa tatuagem fala mais de mim que de outra coisa. Dou um beijo nele, incapaz de me conter.

•

Há dois tatuadores trabalhando hoje à noite, mas ainda não decidi que desenho que vou querer. Samson está na cadeira, com a máquina encostada no braço. Tem a cabeça inclinada para o outro lado, para não ver o desenho antes que esteja pronto.

Está mexendo no celular, tentando me ajudar a encontrar um para mim.

— E um sol nascendo? — pergunta ele.

Não é má ideia, então procuro alguns. No fim das contas, decido que não.

— Parece que requer muita tinta, e ficaria melhor em tamanho maior. Quero começar com algo pequeno.

Já folheei todos os álbuns do estúdio. Estou começando a dar razão ao meu pai. Talvez eu deva pensar mais um pouco.

— Tive uma ideia — diz Samson. — Vamos procurar significados e ver a que tipo de símbolos eles se relacionam.

— Pode ser.

— O que você quer que a tatuagem simbolize? — pergunta ele.

— Talvez algo relacionado a sorte. Seria bom ter um pouco mais de sorte na vida.

Ele vai olhar o telefone, enquanto eu confiro o progresso de sua tatuagem. Escolhi para ele um furacão, mas não todo em tinta preta. Selecionei o desenho de um furacão num mapa climático, com muito vermelho, amarelo, azul e verde. Não é exatamente uma tatuagem em aquarela, mas a mistura de cores num contorno preto, meio desbotado, dá um pouco essa impressão.

Está saindo bem melhor que o esperado.

— Encontrei a sua — diz Samson. Ele estende o celular para que eu veja o que escolheu para mim, mas nao o pego.

— Confio em você. É o justo.

— Pois não devia.

A expressão dele me suscita um embrulho de desconforto. Ele tem razão. Eu não devia confiar em alguém sobre quem não sei absolutamente nada. Só queria concordar em deixá-lo fazer o mesmo que fiz — escolher uma tatuagem às escuras. Por estranho que seja, porém, sinto que sou a mais confiável de nós dois. Pego o telefone e dou uma olhada.

— O que é isso?

— Um cata-vento.

Olho a imagem. É delicada. Colorida. E ele nem sabe que escolhi um furacão para ele, ou seja, seremos os dois tatuados com desenhos que se assemelham a um padrão de rotação.

— Dizem que os cata-ventos afastam o azar.

— É perfeito — sussurro.

•

Sara e Marcos saíram do estúdio faz umas duas horas e meia, enquanto preenchíamos nossos formulários, mas ainda não voltarem para reclamar da demora. Com certeza arrumaram uma boa distração.

Minha tatuagem está concluída. Ficou perfeita. Ele delineou o desenho com tinta preta, mas deixou as cores do cata-vento sangrando para fora do contorno, feito uma tinta escorrendo. Escolhi o pulso esquerdo. Mostrei a Samson, tirei uma foto e deixei o cara cobrir com um plástico.

O tatuador de Samson dá uma última limpada na dele. Samson não olhou nenhuma vez.

— Prontinho — diz o homem.

Samson se senta, sem olhar a tatuagem. Levanta-se, caminha até o banheiro e me intima a ir atrás, com um meneio de cabeça.

Ele quer olhar sem ninguém por perto. Não o culpo. Pode ser que odeie o resultado, e não só eu ficaria péssima, como o tatuador também.

Entro no banheiro com ele e fecho a porta. É um lavabo pequeno, então ficamos bem perto um do outro.

— Está nervoso?

— Não estava. Mas, agora que está pronto, estou.

Dou um sorriso e começo a saltitar.

— Olha logo, estou morrendo aqui.

Samson olha a própria tatuagem pela primeira vez. É do tamanho de um punho, desenhada na parte interna do antebraço, junto à dobra do cotovelo. Encaro seu rosto, à espera de uma reação.

Ele não tem reação.

Apenas olha o desenho.

— É o furacão Ike — explico, correndo o dedo por sobre o desenho. — Escolhi a imagem de um mapa climático do furacão passando bem em cima da península Bolívar.

A única coisa que Samson me devolve é um suspiro. E não sei nem se é um suspiro bom.

Agora estou ansiosa. Eu estava tão convencida de que ele ia gostar; não parei para pensar no que sentiria se ele não gostasse.

Bem devagar, Samson ergue os olhos. Sua expressão não dá qualquer indício de seus pensamentos.

Então ele agarra meu rosto e me beija, tão forte e tão de repente, que desabo contra a porta do banheiro. *Acho que ele gostou, então.* Ele abaixa as mãos até minhas coxas, desliza meu corpo pela porta, e eu enrosco as pernas nele, como se nos atássemos em um nó permanente.

Ele me beija com um frescor que eu ainda não havia sentido em nossos beijos. Agora que recebi a resposta, acho que nenhuma outra que ele desse ao ver a tatuagem seria apropriada.

Ele se aproxima de mim de um jeito que me faz gemer, mas assim que faço isso ele afasta a boca da minha, como se o gemido fosse um grande sinal vermelho. Ele baixa a testa junto à minha e diz, tomado de emoção:

— Eu poderia te ter aqui mesmo, se você não merecesse coisa melhor.

E eu deixaria.

Vinte e dois

— Não. A resposta de meu pai é incisiva.
— Por favor!
— *Não*.
— Eu tenho dezenove anos.
— Ela está tomando pílula — diz Alana.

Eu abaixo o garfo e levo a mão à testa. Não sei por que sequer perguntei a ele se poderia passar a noite com Samson. Eu devia ter simplesmente escapulido à noite e retornado de manhã, antes que ele acordasse. Mas estou tentando não infringir as regras.

Sara terminou de comer antes de a discussão começar, mas parece estar apreciando. Está sentada à mesa, com o joelho junto ao peito, observando a conversa como se estivesse assistindo televisão. Só falta o saquinho de pipoca.

— A sua mãe deixa você passar a noite com rapazes? — pergunta meu pai.

Solto uma risada apática.

— A minha mãe nem ligava para onde eu passava a noite. Eu *quero* que você ligue. Mas também ia gostar muito se você confiasse em mim.

Meu pai esfrega o rosto, sem saber o que fazer. Encara Alana, procurando uma resposta.

— Você deixaria a Sara dormir com o Marcos?

— A Sara e o Marcos dormem juntos quase todo dia — devolve Alana.

Olho para Sara, que na mesma hora se empertiga na cadeira.

— Dormimos nada.

Alana vira a cabeça.

— Eu não sou burra, Sara.

O rosto de Sara é tomado por uma completa surpresa.

— Ah. Achei que fosse.

Eu rio da resposta, mas ninguém mais ri.

Com essa notícia, meu pai parece ainda mais dilacerado.

— Escuta, pai — digo, com a maior gentileza possível. — Na verdade eu não estava te pedindo permissão. Eu estava mais ou menos te informando, por educação, que vou passar a noite na casa do Samson, porque estou na sua casa e quero tentar ser respeitosa. E seria muito mais fácil se você simplesmente dissesse que tudo bem.

Meu pai solta um grunhido e se recosta outra vez na cadeira.

— Que bom que larguei um soco naquele garoto quando tive a chance — resmunga ele. Então acena para a porta da frente. — Pois bem. Que seja. Só... não transforme isso em hábito. E esteja em casa antes de eu acordar, para que eu possa fingir que esta noite nunca aconteceu.

— *Valeu* — respondo, afastando-me da mesa. Mais que depressa, Sara sai da cozinha atrás de mim e sobe correndo as escadas. Quando chegamos ao meu quarto, ela desaba na cama.

— Não acredito que a minha mãe sabe que o Marcos dorme aqui às vezes. Achei que a fôssemos tão discretos.

— Vocês podem até ser discretos, mas silenciosos não são.

Ela ri.

— O Marcos não pode descobrir. Ele curte o jeitão de coisa proibida.

Mando uma mensagem para Samson avisando que a noite está confirmada, então abro o armário e fico encarando as roupas.

— O que eu visto?

— Acho que não importa muito. O objetivo é acabar nua, não é?

Sinto minha pele começar a arder de tanto nervoso. Já transei várias vezes, mas nunca numa cama. Nunca totalmente nua. E, óbvio, nunca com alguém de quem gostasse.

Samson responde minha mensagem com um emoji de fogos de artifício. Reviro os olhos e guardo o celular no bolso.

— Vocês dois ainda não transaram? — pergunta Sara.

Resolvo não trocar de roupa. Apenas jogo na mochila uma camiseta e uma calcinha limpa.

— Ainda não.

— Por que não?

— Ainda não tivemos oportunidade. Estamos sempre com você e o Marcos. E, quando ficamos sozinhos... a gente acaba fazendo outras coisas. Não isso.

— Eu e o Marcos transamos o tempo todo. A gente transou até enquanto vocês faziam as tatuagens, na semana passada.

Olho para ela e estremeço.

— No banco traseiro do carro?

— Sim. Duas vezes.

Que nojo. Eu e o Samson voltamos para casa naquele banco.

— Você vai me dar todos os detalhes amanhã? Ou vou ganhar outro joinha mixuruca?

Sara tem sido paciente comigo, tendo em vista o pouco que compartilho em relação a certos aspectos de minha vida e o quanto sou direta em relação a outros.

— Vou te contar tudo — digo, logo antes de sair do quarto.
— Prometo.

— Quero todos os detalhes! Anota, se for preciso!

Por sorte, meu pai e Alana não estão mais na cozinha, então escapulo sem maiores debates quanto ao fato de que vou fazer sexo com meu vizinho hoje à noite. Definitivamente não estou acostumada a ter uma família que discute tudo às claras, como eles fazem.

Samson está me aguardando no térreo.

— Está tão animado assim? — provoco.

Ele me beija e pega minha mochila.

— Desesperado.

Começamos a caminhar para a casa de Samson. P.J. vem atrás, mas Samson não tem caminha de cachorro.

— P.J., volta para casa.

Aponto para a escada. P.J. para. Repito a ordem, e ele enfim se vira e torna a subir a escada.

Samson entrelaça a mão na minha e entra em casa comigo. Tranca a porta da frente, ativa o alarme e tira os sapatos.

Olho em volta, pensando onde é que tudo vai acontecer. *Como* vai acontecer. Parece meio estranho saber o que está por vir. Quando o assunto é sexo, prefiro espontaneidade a planejamento. Dakota me tratava como se eu fizesse parte de uma rígida escala rotativa.

— Está com sede? — pergunta Samson.

Balanço a cabeça.

— Estou de boa.

Ele joga minha mochila junto à parede, perto da dele. Pega minha mão e vira o punho, para ver a tatuagem. Já faz uma semana que fizemos, e ambas cicatrizaram muito bem. Fiquei com certa vontade de fazer outra, mas sinto que é melhor esperar a motivação apropriada. Essa com Samson me pareceu importante. Vou aguardar outro momento de vida importante para me tatuar outra vez.

— Ficou muito boa mesmo — diz ele, correndo os dedos por minha pele.

— Você nunca chegou a dizer se gostou da sua.

— Eu te disse que amei na hora em que vi. Só não foi com palavras.

Ele entrelaça os dedos nos meus e me conduz por um lance de escadas. Abre a porta de seu quarto e me deixa entrar.

As portas da sacada estão abertas. Uma brisa sopra, fazendo drapejar a cortina fina do quarto. A cama está arrumada à perfeição, e eu ainda não consigo entender como é que ele deixa tudo tão limpo. Samson acende uma luminária junto à cama.

— Que lindo — digo, aproximando-me da sacada. Saio pela porta e olho meu próprio quarto. Acabei esquecendo a luz acesa, então vejo minha cama claramente. — Você consegue ver o meu quarto todinho.

Samson agora está de pé ao meu lado.

— Pois é, eu sei. Você não deixa aquela luz acesa tanto quanto deveria.

Olho seu sorriso escancarado. Empurro de leve o ombro dele e retorno ao quarto. Vou até a cama e me sento na beirada do colchão.

Tiro os sapatos, me deito e fico olhando para Samson. Ele contorna a cama bem devagar, encarando-me de todos os ângulos.

— Parece que estou sendo rodeada feito uma presa — digo.

— Bom, não quero ser o tubarão neste cenário. — Samson se joga na cama, a meu lado, e apoia a cabeça na mão. — Pronto. Agora sou um plâncton.

— Melhor assim — respondo, sorrindo.

Ele afasta uma mecha de cabelo do meu rosto, com o semblante pensativo.

— Está nervosa?

— Não. Eu me sinto à vontade com você.

Minha frase leva um toque de preocupação a seu rosto — quase como se ele não se sentisse à vontade por eu me sentir à vontade com ele. No mesmo instante em que apareceu, o olhar desaparece.

— Eu vi esse pensamento — digo, baixinho.

— Que pensamento?

— O pensamento negativo que você acabou de ter. — Levo o dedo ao ponto entre suas sobrancelhas. — Estava bem aqui.

Em silêncio, ele digere minhas palavras.

— Para alguém que não sabe muito a meu respeito, você com certeza sabe muito a meu respeito.

— Na verdade, as coisas que você não quer me contar nem são as mais importantes.

— Como é que você tem certeza, se não sabe quais segredos estou guardando?

— Não preciso saber nada sobre o seu passado para ter certeza de que você é uma pessoa boa. Dá para ver pelas suas atitudes. Dá para ver pelo jeito como você me trata. Que importância tem a sua família, o dinheiro que você tem e as pessoas que vieram antes de mim? — O pensamento negativo retorna, e eu aliso as ruguinhas em sua testa. — Para... você pega muito pesado consigo mesmo.

Samson se recosta na cama e apoia as mãos sobre o peito. Encara o teto. Eu me aproximo dele e apoio minha cabeça na mão. Toco seu colar e vou subindo os dedos até o pescoço, depois aos lábios.

Ele inclina a cabeça junto à minha.

— Será que é melhor a gente não fazer nada? — diz ele. As palavras saem mais como uma pergunta, e no mesmo instante eu balanço a cabeça.

— Eu quero.

— Não é justo com você.

— Por quê? Porque não sei de tudo a seu respeito?

Ele assente.

— Acho que você não ia querer se soubesse toda a verdade.

Pressiono os lábios nos dele, só um pouquinho.

— Você está sendo dramático.

— Não estou coisa nenhuma. Só que eu vivi uma vida dramática, e pode ser que você não goste.

— Eu também. Nós dois somos dramáticos porque temos pais dramáticos e um passado dramático. E poderíamos estar fazendo um sexo dramático agora, se você não se culpasse tanto.

Ele sorri. Eu me sento e tiro a camiseta. A preocupação se esvai de seus olhos. Ele me puxa para perto, e eu monto por cima dele. Ele já está pronto, mas ergue a mão e corre o dedo lento pelo bordado do meu sutiã, sem a menor pressa.

— Eu só transei na picape do Dakota — digo. — Vai ser a minha primeira vez numa cama.

Samson corre o dedo por minha barriga e para no botão do short.

— Vai ser a minha primeira vez com uma garota por quem sinto alguma coisa.

Tento manter a compostura ao ouvir isso, mas as palavras me invadem com tanta força que franzo o cenho.

Ele toca minha boca e desliza os dedos por meus lábios.

— Por que o que falei te deixou triste?

Cogito balançar a cabeça para evitar a pergunta, mas se tem uma coisa que aprendi neste verão é que os segredos de fato não são tão valiosos quanto eu costumava imaginar. Então opto pela honestidade.

— Quando você diz esse tipo de coisa, fico com medo da nossa despedida. Não estava esperando terminar o verão com o coração despedaçado.

Samson inclina a cabeça e me olha, com o mais completo carinho.

— Não se preocupe. Coração não tem osso. Não despedaça de verdade.

Samson me vira de costas e tira a camisa, o que basta para me acalmar por dois segundos, mas logo meus pensamentos retornam ao ponto onde estavam antes de ele se despir.

Ele se abaixa para me beijar, mas antes eu me pronuncio:

— Se um coração não pode se despedaçar, por que é que o meu parece que vai se partir inteirinho, quando chegar a hora de eu me mudar mês que vem? Você não sente isso no seu coração?

Os olhos de Samson perscrutam meu rosto por um instante.

— Sinto. Sinto, sim. Vai ver nasceram uns ossos no nosso coração.

Assim que ele diz isso, seguro sua nuca e o trago até minha boca. Quero sorver ao máximo possível essas palavras, aprisionar todas dentro de mim. A frase fica pairando no ar, como se as palavras flutuassem à nossa volta e me penetrassem durante o beijo.

Pode ser que ele esteja certo. De repente nós, de fato, temos ossos no coração. Mas... e se a única forma de confirmar isso for sentindo a agonia causada pela fratura?

Tento não pensar em nosso adeus iminente, mas é difícil vivenciar algo tão perfeito sem recordar a vívida certeza de que acabará em breve.

Samson se ajoelha. Remexe o botão do meu short até abri-lo. Com os olhos fixos aos meus, vai baixando o zíper e começa a puxar meu short. Eu ergo o quadril, depois as pernas, para ajudá-lo a se livrar de minha roupa. Ele joga o short longe e contempla a visão por um instante. Gosto de me ver através de suas expressões. Ele faz eu me sentir mais bonita do que provavelmente sou.

Ele puxa a coberta por sobre nós, então se deita a meu lado e tira o próprio short. Não me sinto nada desconfortável, então não hesito ao remover meu sutiã e a calcinha. Ele próprio demonstra conforto, como se já tivéssemos feito isso dezenas de vezes, mas em mim se avulta a expectativa de quem experimenta essa sensação pela primeira vez.

Completamente nus sob as cobertas, nós nos olhamos, deitados de lado. Samson leva a mão delicada à minha boca e a deixa ali.

— Você ainda parece triste.

— Estou.

Ele corre a mão por meu pescoço e ombro. Seu olhar acompanha a mão, então não está olhando diretamente para mim.

— Eu também.

— Então por que a gente tem que se despedir? Eu posso ir para a faculdade, você, para a Academia da Força Aérea, mas a gente mantém contato, se vê...

— *Não dá*, Beyah. — Ele volta a me encarar nos olhos, mas logo desvia o olhar a outro ponto.   Não vou para a Força Aérea. Isso nunca esteve nos meus planos.

Por suas palavras e a expressão em seu rosto, meu coração já começa a fraturar. Desejo perguntar o que ele está querendo dizer, mas tenho muito medo de saber a verdade, então não chego a formular a pergunta.

Samson dá um suspiro pesado e se inclina para perto de mim. Segura meu braço com mais força e pressiona os lábios em meu ombro. Ao sentir sua respiração, fecho os olhos com força. Quero tanta coisa dele agora. Quero sua honestidade, mas também seu silêncio, o toque, o beijo. Algo me diz que não posso ter tudo. Ou vivo este momento, ou encaro a verdade.

Ele acomoda o rosto na dobra de meu pescoço.

— Por favor, não pergunte o que estou querendo dizer, pois se você perguntar eu vou acabar sendo honesto. Não posso mais mentir para você. Mas quero viver esta noite mais do que já quis qualquer coisa na vida.

Essas palavras me invadem como uma onda, arrebentando em mim com tanta força, que eu estremeço. Acaricio os cabelos de Samson, inclino a cabeça, e nós nos encaramos.

— Você vai ser honesto comigo amanhã, quando a gente acordar?

Ele faz que sim. Não responde em voz alta, mas eu acredito. Acredito porque ele parece ter medo de me perder. E pode ser que perca. Mas hoje à noite ele me tem, e isso é tudo o que importa.

Eu o beijo, para que ele saiba que a verdade pode esperar até amanhã. Neste momento, só quero sentir o que sempre mereci durante o sexo — que meu corpo é respeitado e meu toque vale mais que qualquer dinheiro.

Samson se afasta, apenas para pegar uma camisinha na mesinha de cabeceira. Sob as cobertas, ele a ajeita, depois vira o corpo sobre o meu. E me beija, paciente, à espera do momento exato de estar dentro de mim.

Quando enfim chega a hora, ele me olha de frente, observando minha expressão. Solto um arquejo, prendendo todo o ar até que estejamos o mais conectados possível. Ele solta um suspiro trêmulo. Vai saindo de mim no mesmo ritmo lento com que entrou, e pousa a boca junto à minha.

Dou um gemido quando ele entra de novo, impressionada com a sensação de novidade trazida por Samson. Não há um milímetro de mim que não queira estar aqui neste momento, e isso faz toda a diferença do mundo.

Samson apoia a cabeça na minha.

— Tudo bem?

Balanço a cabeça.

— Está muito melhor do que bem.

Sinto a risada dele em meu pescoço outra vez.

— Concordo — diz ele, num tom contido, como se quisesse pegar leve por medo de me quebrar.

Colo a boca em seu ouvido e acaricio seus cabelos.

— Não precisa ser delicado comigo.

Enrosco as pernas nele e beijo seu pescoço, até sentir sua pele se encrespar em arrepios sob minha língua.

Minhas palavras o fazem gemer, e é como se ele subitamente ganhasse vida. Sua boca encontra a minha. Ele me beija com avidez e me toca com mãos vorazes.

A cada minuto, a coisa fica melhor. Encontramos nosso ritmo corporal, o compasso perfeito dos beijos, a cadência dos gemidos. É um sexo que jamais experimentei.

Estamos fazendo amor.

Seja lá que verdades o amanhã traga, já sei que nada vai mudar o que sinto por ele, mesmo que ele acredite que sim. Não sei ao certo se ele entende o quanto isso significa para mim. Não sinto qualquer ameaça em saber que enfim descobrirei toda a verdade sobre ele.

Samson me faz pensar se há diferença entre um mentiroso e alguém que mente para proteger outra pessoa da verdade.

Samson não me parece um mentiroso. Parece protetor, não desonesto.

Neste momento, mesmo sem dizer uma palavra, Samson é mais honesto do que nunca.

Nunca me senti tão valorizada quanto agora.

Não apenas valorizada, mas apreciada. Respeitada. Desejada.

Talvez até amada.

Vinte e três

— Me desculpa.

As palavras de Samson parecem um bloco de concreto se arrastando por meu corpo. Ainda nem abri os olhos, mas sua voz guarda mais pesar que qualquer som que já ouvi na vida.

Será que foi um sonho?

Um pesadelo?

Toco o travesseiro dele e abro os olhos, mas não encontro nada. Adormeci abraçada a ele, mas agora ele sumiu, e meus braços estão vazios. Quando viro o corpo para porta, eu o vejo. Ele está com as mãos para trás. Um policial segura seu braço e o empurra para fora do quarto.

No mesmo instante, eu me sento.

— Samson?

Ao dizer seu nome, vejo uma policial do outro lado da cama, com a mão na cintura, tocando uma pistola. Cubro meu corpo. Ela vê o medo em meus olhos e ergue a mão.

— Pode se vestir, mas sem movimentos bruscos.

Com o coração disparado, tento entender o que está acontecendo. A policial se agacha e joga minha camiseta para mim. Com as mãos trêmulas, tento vestir a roupa sob o cobertor.

— O que é que está acontecendo?

— Preciso que você desça comigo — responde a mulher.

Ai, meu Deus, o que está acontecendo? Como é que ontem à noite estávamos fazendo amor, e hoje vejo Samson algemado? Só pode ser algum equívoco. Ou uma piada de mau gosto. Não pode ser verdade.

— A gente não fez nada de errado.

Saio da cama e procuro meu short. Não lembro onde está, mas não tenho tempo de ficar procurando. Preciso impedir que levem Samson.

Corro até a porta.

— Pare! — grita a policial.

Eu paro e me viro para ela.

— Você precisa terminar de se vestir. Tem mais gente lá embaixo.

Mais gente?

Vai ver alguém arrombou a casa. Talvez estejam confundindo Samson com outra pessoa. Ou de repente alguém descobriu o que ele fez com os restos mortais de Rake.

Será que é por causa disso?

O pensamento me faz entrar em pânico, pois eu estava junto. Vi o que ele fez e não avisei à polícia, o que me torna tão culpada quanto Samson.

A policial sai do quarto enquanto eu visto meu short. Ela me aguarda, então segue depois de mim em direção à escada. Quando adentro a sala de estar de Samson, vejo mais dois policiais.

— O que houve? — sussurro para mim mesma. Olho pela janela e vejo que o sol ainda não nasceu, ou seja, ainda é de madrugada. Samson e eu adormecemos depois da meia-noite.

Olho o relógio da parede. São duas e meia da manhã.

— Sente-se — diz a policial.

— Eu vou ser presa?

— Não. São só umas perguntas.

Agora estou assustada. Não sei aonde levaram Samson.

— Eu quero o meu pai. A gente mora na casa aqui do lado. Será que alguém pode ir lá avisar a ele o que está acontecendo?

Ela assente para um dos outros policiais e sai da casa.

— Cadê o Samson? — pergunto.

— É esse o nome que ele deu para você? — O policial puxa um bloquinho e anota alguma coisa.

— Isso. Shawn Samson. Esta é a casa dele, e vocês acabaram de tirá-lo da própria cama no meio da madrugada.

A porta da frente se abre e outro policial entra, seguido de um homem com uma criança no colo. Atrás dele entra uma mulher. Deve ser a esposa, pois o abraça assim que os dois entram na casa.

Por que é que tem tanta gente aqui?

A mulher parece familiar, mas não sei dizer de onde a conheço. Parece ter chorado. O homem entrega a criança à esposa e me encara com desconfiança.

— Há quanto tempo a senhorita está morando aqui? — pergunta o policial.

Faço que não com a cabeça.

— Eu não moro aqui. Moro na casa ao lado.

— Qual é a sua relação com o rapaz?

Eu me sinto tonta e assustada, e quero que meu pai chegue logo. Não gosto dessas perguntas. Quero saber onde está Samson. Será que preciso de um advogado? Será que Samson precisa?

— Como foi que você entrou? — pergunta o homem com a criança no colo.

— Como eu entrei?

— Na nossa *casa*.

A casa é *dele*?

Olho a esposa. Olho a criança. E o porta-retratos junto à porta. É ela na fotografia. E o garotinho da foto está agora em seus braços.

— Esta casa é de vocês? — pergunto ao homem.

— É.

— Vocês são os donos?

— Somos.

— O Samson é filho de vocês?

O homem balança a cabeça.

— A gente não conhece o rapaz.

Torno a olhar a fotografia. A foto que Samson disse ser dele e da mãe. *Ele mentiu em relação a isso também?*

Balanço a cabeça, em total e completa confusão, e vejo meu pai entrando às pressas pela porta.

— Beyah? — Ele corre pela sala, mas para quando a policial o segura pelo ombro e se planta entre nós.

— O senhor pode esperar do lado de fora, por gentileza?

— O que foi que aconteceu? — pergunta meu pai. — Por que é que eles estão sendo presos?

— A sua filha não está sendo presa. Não acreditamos que ela tenha tido participação.

— Participação no *quê*? — pergunto.

A policial solta um suspiro lento, como se não quisesse dizer o que estava prestes a dizer.

— Esta casa pertence a esta família — diz ela, apontando para o homem, a mulher e a criança. — O seu amigo não tinha permissão de estar aqui. Ele está sendo acusado de violação de domicílio.

— Que filho da *puta* — diz meu pai, entre os dentes cerrados.

Sinto as lágrimas ardendo nos olhos.

— Não pode ser — sussurro. Esta casa é do pai do Samson. Ele até ativou o alarme ontem à noite. Ninguém invade uma casa se sabe a senha do alarme. — Deve estar havendo algum equívoco.

— Não há equívoco nenhum — devolve a policial, guardando o bloquinho no bolso. — A senhorita se incomoda de vir conosco até a delegacia? Vamos ter que preencher um relatório e ainda temos muitas perguntas.

Meneio a cabeça e me levanto. Eles podem até ter perguntas para mim, mas eu certamente não tenho as respostas.

Meu pai dá um passo à frente e aponta para mim.

— Ela não fazia ideia de que a casa não era dele. Fui eu quem deu permissão para que ela passasse a noite aqui.

— É só formalidade. O senhor também pode ir até a delegacia, e se tudo estiver nos conformes ela poderá ir embora com o senhor.

Meu pai assente.

— Não se preocupe, Beyah. Vou logo atrás de você.

Não me *preocupar*?

Eu estou muito apavorada.

Antes de sair da casa, pego minha mochila e a de Samson, que ainda estão junto à porta, e entrego a meu pai.

— Você pode levar as minhas coisas para casa? — Não digo a ele que uma das mochilas pertence a Samson.

Ele pega as duas e me olha com firmeza.

— Não responda nada antes de eu chegar.

Vinte e quatro

A salinha é tão pequena, que parece que não há ar para nós quatro.

Meu pai está sentado a meu lado em uma mesa minúscula, e eu estou inclinada para o lado, para tentar preservar meu espaço pessoal. Tenho os cotovelos colados à mesa e a cabeça entre as mãos.

Estou preocupada.

Meu pai está só irritado.

— A senhorita sabe há quanto tempo ele está morando naquela casa?

Fui informada de que a policial se chama oficial Ferrell. O nome do homem eu não sei. Ele não falou muita coisa. Está só tomando notas, e não sinto vontade de olhar para ninguém.

— Não.

— A Beyah veio para cá em junho. Mas o Samson está morando naquela casa desde o último recesso de primavera. Foi quando nos conhecemos.

— O senhor não conhece os proprietários? — pergunta a policial ao meu pai.

— Não. Já vi umas pessoas lá, mas deduzi que fossem inquilinos. Passamos quase o ano todo em Houston, então ainda não conheço muito a nossa vizinhança.

— A senhorita sabe como Samson desligou o alarme? — pergunta ela a mim.

— Ele sabia a senha. Eu vi quando ele digitou, ontem à noite.

— A senhorita sabe como ele conseguiu a senha?

— Não.

— Conhece alguma das outras casas que ele ocupou?

— Não.

— Sabe onde ele fica quando os proprietários estão na casa?

— Não.

Não sei de quantas formas diferentes consigo dizer "não", mas não sei responder quase nenhuma das perguntas.

Não sei de onde Samson é. Não sei o nome do pai dele. Não sei que dia ele nasceu, onde nasceu, onde cresceu, se tem a mãe viva ou não. Quanto mais perguntas eles fazem, mais constrangida eu fico.

Como é que não sei nada a respeito dele, mas sinto que o conheço tão bem?

Talvez eu não o conheça nem um pouco.

O pensamento me faz apoiar a cabeça nos braços. Estou cansada e quero respostas, mas sei que só vou ter alguma quando puder falar com Samson. A única coisa que quero agora é saber se ele de fato tem algum osso no coração. Se tem, será que está fraturado?

Porque o meu está.

— Ela não sabe mais nada, mesmo — diz meu pai. — Já está tarde. Vocês telefonam caso tenham outra pergunta, pode ser?

— Pode. Deixe só eu conferir uma coisinha bem rápido, antes de vocês irem. Nós já voltamos.

Ouço os dois policiais saírem da sala, então ergo a cabeça e me recosto na cadeira.

— Tudo bem com você? — pergunta meu pai.

Meneio a cabeça. Se eu disser que não estou bem, ele vai querer conversar. E eu prefiro não falar.

A porta está aberta, e vejo o movimento no exterior da sala. Vejo um homem claramente drogado, sendo levado a outra sala, mais adiante no corredor. Passei o tempo todo ouvindo o sujeito soltar grunhidos ininteligíveis, sem qualquer razão. Toda vez que ele fazia isso, eu estremecia.

Eu devia estar acostumada a esse comportamento, pois era muito comum em casa. Minha mãe resmungava sozinha o tempo todo. Sobretudo no último ano. Falava com gente que nem estava lá.

Quase esqueci como é viver com uma dependente química. Ver esse homem me entristece. A prisão não vai ajudá-lo a largar o vício, assim como não ajudou minha mãe. Na verdade, fez tudo piorar. A cada prisão, o ciclo de encarceramento e soltura se intensifica ainda mais.

Minha mãe foi presa inúmeras vezes. Não sei ao certo por que ela era presa, mas tinha sempre a ver com drogas. Posse. Intenção de compra. Lembro de uma vizinha vindo me buscar no meio da noite para dormir em sua casa, o que aconteceu algumas vezes.

Minha mãe precisava de mais ajuda do que eu era capaz de oferecer. Eu tentei, em mais de uma ocasião, mas não conseguia lidar com aquilo. Agora, em retrospecto, queria ter feito mais. Talvez devesse ter recorrido ao meu pai.

Não acho que ela teria sido má pessoa, se não estivesse doente. E o vício em drogas é isso, não é? Uma doença. Uma doença que eu também posso contrair, mas que estou determinada a jamais ter.

Fico pensando como ela seria se tivesse uma dependência química. Será que se pareceria comigo em algum aspecto?

Olho para meu pai.

— Como era a minha mãe quando vocês se conheceram?

Ele parece meio aturdido com a pergunta. Balança a cabeça.

— Não lembro muito bem. Desculpa.

Não sei por que razão esperava que ele lembrasse. Foi uma noitada, e ele tinha praticamente a minha idade. Os dois deviam estar bêbados. Às vezes desejo perguntar como eles se conheceram, mas não sei bem se quero saber. Tenho certeza de que foi num bar, sem qualquer romantismo do qual ele se recorde.

Imagino como meu pai acabou levando uma vida normal, enquanto minha mãe se transformou na pior versão de si mesma. Será que foi tão somente por conta do vício? Terá sido um desequilíbrio entre o inato e o adquirido?

— Você acha que a espécie humana é a única que adquire vícios? — pergunto a meu pai.

— Como assim?

— Tipo drogas e álcool. Será que os animais adquirem algum vício?

Ele me perscruta, como se não compreendesse as perguntas que saem de minha boca.

— Já li em algum lugar que os ratinhos de laboratório podem se viciar em morfina.

— Não é disso que estou falando. Quero saber se um animal desenvolve algum vício em seu ambiente natural. Ou será que o ser humano é a única espécie que destrói a si mesmo e todos à sua volta com seus vícios?

Meu pai coça a testa.

— A sua mãe é viciada, Beyah? É isso o que você está me dizendo?

Não acredito que até agora não contei a ele que minha mãe morreu. Não acredito que ele ainda não descobriu.

— Ela não é mais.

Ele aperta os olhos, preocupado.

— Eu nem sabia que ela tinha sido. — Ele me encara com inquietude. — Está tudo bem com você?

Reviro os olhos quando ouço essa pergunta.

— Estamos sentados numa delegacia em plena madrugada. Não, não está tudo bem.

Ele pisca os olhos duas vezes.

— Pois é, eu sei. Mas essas perguntas. Só... não fazem muito sentido.

Dou uma risadinha. Igual à do meu pai. A mais recente caraterística que odeio em mim.

Eu me levanto e estico as pernas. Caminho até a porta e olho para fora, esperando avistar Samson, mas não o encontro.

Parece que há um abismo entre o instante em que me sentei na viatura de polícia e a hora em que falarei com Samson outra vez. Um imenso abismo emocional, onde não sinto nada e não me importo com nada além dessa potencial conversa.

Eu me recuso a me abrir ao que está acontecendo, seja lá o que for, e talvez seja por isso que meus pensamentos estão a toda, enquanto espero. Se eu me abrir para este exato momento, posso acabar me convencendo de que Samson é um completo estranho. Ontem à noite, porém, isso estava longe de ser verdade.

Pela segunda vez neste verão, estou impressionada com o quanto a vida pode mudar de um dia para o outro.

A oficial Ferrell retorna, segurando um copo de café. Chego para o lado e me encosto na porta. Meu pai se levanta.

— Já organizarmos todas as informações de vocês. Estão liberados.

— E o Samson? — pergunto.

— Ele vai passar a noite sob custódia. Deve levar um tempo até ser solto, a não ser que alguém pague a fiança.

As palavras me pesam no peito. Quanto tempo é "um tempo"? Ponho uma mão sobre meu estômago.

— Posso falar com ele?

— Ele ainda está sendo fichado e terá que ver o juiz daqui a umas horas. Amanhã a partir das nove já terá permissão de receber visitas.

— A gente não vem visitar — diz meu pai.

— Vem, sim — rebato.

— Beyah, você provavelmente nem sabe o nome verdadeiro desse cara.

— O nome dele é Shawn Samson — respondo, na defensiva. Então estremeço e olho a policial, imaginando se há ainda mais mentiras. — Esse não é o nome dele?

— O nome completo é Shawn Samson *Bennett* — corrige a policial.

Meu pai gesticula em direção à policial enquanto olha para mim.

— Viu? — Ele põe as mãos na cintura e encara a oficial Ferrell.

— Será que eu tenho que me preocupar? Pelo que exatamente ele está sendo indiciado, quanto tempo vai ficar preso?

— Duas acusações de violação de domicílio. Uma de violação de condicional. Uma de incêndio criminoso.

A última me faz engasgar.

— *Incêndio criminoso?*

— No fim do ano passado um incêndio destruiu parcialmente uma residência. Ele estava ocupando a casa sem permissão quando o fogo começou. Foi registrado pelas câmeras de segurança e recebeu um mandado de prisão. Logo depois ele deixou de se apresentar ao oficial de condicional, o que levou aos mandados de prisão não cumpridos, bem como às novas acusações.

— Por que ele estava em liberdade condicional, para começo de conversa? — pergunta meu pai.

— Roubo de automóvel. Cumpriu seis meses de pena.

Meu pai começa a andar de um lado a outro.

— Então esse é um padrão do rapaz?

— Pai, tenho certeza de que ele é só o produto de um sistema cheio de falhas. — Meu pai para de andar e me encara, como se não entendesse como uma afirmação tão ridícula pudesse ter saído de minha boca. Olho a policial. — E os pais dele?

— Ambos falecidos. Ele alega que o pai desapareceu depois do furacão Ike e que desde então vem vivendo sozinho.

O *pai* dele desapareceu?

Será que Rake era o pai dele? Isso explica tanto de seu comportamento quando encontramos os restos mortais na praia. Quero retornar àquele momento, em que ele parecia sentir tanta dor. Quero voltar e abraçá-lo, como devia ter feito.

Começo a fazer as contas. Se Samson tiver sido honesto em relação à própria idade, tinha apenas treze anos na época do furacão Ike.

Ele vive sozinho desde os *treze*? Não à toa foi tão fácil perceber que ele tinha traumas.

— Para de sentir pena, Beyah — diz meu pai. — Eu estou vendo, está na sua cara.

— Ele era uma criança quando perdeu o pai. A gente não faz ideia do tipo de vida que ele levou depois disso. Tenho certeza de que ele fez tudo por necessidade.

— E essa desculpa é válida para um rapaz de vinte anos? Ele podia ter arrumado um emprego, feito gente normal.

— O que ele ia fazer depois de ser solto pela primeira vez, se estava sozinho? Ele não deve ter nem documento de identificação, se não tinha a ajuda dos pais. Não tinha família, não tinha dinheiro. As pessoas são negligenciadas, pai. Isso acontece.

Aconteceu comigo e você nunca percebeu.

Meu pai pode achar que o comportamento de Samson é um padrão que ele próprio escolheu, mas para mim era uma vida da qual ele não teve saída. Sei muito bem o que é fazer péssimas escolhas por pura necessidade.

— Será que a gente consegue uma medida protetiva contra ele? Não quero esse sujeito perto da minha propriedade, nem da minha filha.

Não estou acreditando. Ele nem sequer conversou com Samson, nem ouviu o lado dele, e está se sentindo ameaçado?

— Ele é inofensivo, pai.

Meu pai me olha, como se a irracional fosse eu.

— Certamente é seu direito proteger a sua propriedade — responde a oficial Ferrell —, mas sua filha é adulta, então teria ela mesma que solicitar a medida protetiva de urgência para se defender.

— Me defender de quê? Ele é uma boa pessoa.

Parece que ninguém está me ouvindo.

— Ele estava *fingindo* ser uma boa pessoa, Beyah. Você nem conhece esse cara.

— Conheço mais do que conheço você — murmuro.

Meu pai aperta os lábios, mas permanece em silêncio.

Seja lá quais delitos Samson tenha cometido no passado, ele não fez essas escolhas por vontade própria. Estou convencida disso. Samson nunca foi ameaçador. Ele vem sendo a parte mais segura e reconfortante do Texas para mim.

Mas meu pai já tem a cabeça feita.

— Preciso de um banheiro — digo. Preciso respirar um pouco antes de entrar no carro com meu pai.

A policial aponta para o fim do corredor. Corro até o banheiro, espero a porta se fechar e inspiro o máximo de ar que cabe em meus pulmões. Lentamente, solto o ar e caminho até o espelho.

Olho meu próprio reflexo. Antes de Samson, quando eu me olhava no espelho, via uma garota que não era importante para ninguém. No entanto, desde que o conheci, toda vez que me olho no espelho vejo uma garota que é importante para alguém.

O que será que Samson vê quando se olha no espelho?

Será que ele tem ideia de quanto é importante para mim?

Queria ter dito isso a ele ontem à noite, quando tive a chance.

Vinte e cinco

São sete da manhã quando eu e meu pai encostamos o carro na garagem. Queijo Pepper Jack começa a abanar o rabo, esperando que eu abra a porta do passageiro.

Só quero ficar juntinho do meu cachorro.

Estou cansada de responder perguntas, e P.J. vai ser o primeiro ser vivo nas últimas vinte e quatro horas que não vai me interrogar.

Meu pai sobe as escadas, e eu escolho permanecer no térreo. Sento-me à mesa de piquenique e coço a cabecinha de P.J. enquanto olho a água. Consigo uns três minutos de paz, talvez, até que ouço alguém descendo a escada a passos ligeiros.

Sara.

— Ai, meu Deus, Beyah. — Ela corre até a mesa e se senta à minha frente. Estende a mão e aperta a minha, forçando um sorriso triste. — Como é que você está?

Balanço a cabeça.

— Só vou ficar bem quando conseguir falar com o Samson.

—Fiquei tão preocupada. O seu pai saiu daqui tão apressado, depois mandou uma mensagem de texto para a minha mãe avisando que o Samson tinha sido preso. O que foi que houve?

— A casa não é dele.

— Ele arrombou?

— Tipo isso.

Sara corre a mão pelo rosto.

— Lamento tanto. Estou me sentindo péssima. Fui eu que fiquei te empurrando para ele. — Ela se debruça sobre a mesa, segura meu punho e me encara com sinceridade. — Nem todos os caras são que nem ele, Beyah. Eu juro.

Ela está certa, mas é um alívio que Samson não seja como os outros caras. Ele podia ser igual a Dakota. Ou Gary Shelby. Prefiro me apaixonar por um cara que tem um passado suspeito, mas me trata como Samson, a me apaixonar por um que me trata feito bosta, mas fica posando de bacana.

— Não estou com raiva dele, Sara.

Ela ri, mas é uma risada nervosa. Iguais às que dava logo que nos conhecemos, quando não sabia dizer se eu estava ou não de brincadeira.

— Eu sei que o Samson está parecendo uma pessoa péssima. Mas você não o conhece como eu. Ele não tinha orgulho do próprio passado. E planejava me contar tudo, só não queria que a verdade estragasse o resto do nosso verão.

Sara cruza os braços e se inclina mais para a frente.

— Beyah. Sei que você está angustiada e que se preocupa com ele. Mas ele mentiu para você. Mentiu para todos nós. Eu e o Marcos convivemos com ele desde março. Tudo o que ele contou para a gente é mentira.

— Tipo o quê?

Ela abana a mão em direção à casa ao lado.

— Que ele é dono daquela casa, para começar.

— Mas o que mais?

Ela aperta os lábios e se remexe na cadeira, pensativa.

— Sei lá. Não consigo pensar em nada específico agora.

— Exatamente. Ele mentiu sobre onde morava e seguiu em frente com a narrativa de garoto rico que vocês estipularam. Mas fez todo o possível para não falar de si mesmo, para *não* mentir para ninguém.

Ela estala os dedos.

— Aquele cara no jantar! O que chamou ele de Shawn. Ele mentiu que tinha frequentado um internato em Nova York com ele.

— Ele mentiu porque se sentiu forçado a dar uma resposta.

— Eu teria muito mais respeito por ele se ele simplesmente tivesse sido honesto com a gente naquele momento.

— Não é verdade. Ele teria sido julgado, como está sendo agora.

Para pessoas tipo a Sara tudo é tão "preto no branco". O mundo real não opera sob um sistema simplório de certo e errado. Pessoas que jamais tiveram de vender a alma para conseguir um abrigo ou um prato de comida são incapazes de entender a quantidade imensa de decisões ruins que gente desesperada é forçada a tomar.

— Não quero mais falar sobre isso, Sara.

Ela suspira, como se não tivesse acabado de tentar me convencer a deixá-lo para trás.

Vai ser preciso muito mais que um passado questionável para que eu abandone um cara que não fez cara feia para o meu próprio passado questionável.

Sara obviamente pensa o mesmo que meu pai no que diz respeito a Samson. Todo mundo pensa, tenho certeza.

— Quero muito ficar sozinha agora.

— Tá bom — diz Sara. — Mas estou aqui se você quiser conversar.

Ela me deixa com meus pensamentos e sobe a escada de casa. Depois que ela entra, coço a orelhinha de P.J.

— Acho que somos só eu e você do lado do Samson.

P.J. levanta as orelhas assim que meu celular começa a vibrar. No mesmo instante dou um salto e tiro o telefone no bolso. Meu coração vai parar na boca quando leio "Número Privado" no identificador de chamadas. Mais que depressa, atendo.

— Samson?

— *Você está sendo contatado por um detento da Penitenciária do Condado de Galveston* — diz a gravação. — *Pressione um para aceitar ou dois para...*

Pressiono um e levo o celular à orelha.

— Samson? — Minha voz está tomada de pânico. Franzo a testa e torno a me sentar.

— Beyah?

Sua voz parece tão distante, mas eu enfim o sinto outra vez. Solto um suspiro de alívio.

— Tudo bem com você?

— Tudo. — A voz dele não está tomada de medo como a minha. Na verdade ele parece calmo, como se esperasse este momento. — Não posso falar muito. Eu só...

— Quanto tempo você pode falar?

— Dois minutos. Mas me avisaram que amanhã às nove já posso receber visitas.

— Eu sei. Estarei aí. Mas e hoje, o que é que eu posso fazer? Tem alguém para quem eu possa ligar?

Há uma pausa do outro lado. Fico em dúvida se ele ouviu a pergunta, mas Samson solta um suspiro e diz:

— Não. Não tem ninguém.

Meu Deus, que ódio disso. Eu e P.J. somos mesmo tudo o que ele tem agora.

— Não acho que o meu pai vá pagar a sua fiança. Ele está muito irritado.

— Não é responsabilidade dele. Por favor, não peça a ele para fazer isso.

— Mas vou pensar em alguma coisa.

— Vou passar um tempo aqui, Beyah. Eu fiz muita merda.

— É por isso que vou te ajudar a encontrar um advogado.

— Vou ter direito a um defensor público — diz ele. — Já passei por isso antes.

— Eu sei, mas esses caras vivem sobrecarregados. Não seria ruim encontrarmos um advogado com mais tempo para se preparar e brigar pelo seu caso.

— Não posso pagar advogado. Caso você ainda não tenha se ligado, eu não sou rico de verdade.

— Que bom. Você sabe que o dinheiro era a coisa que eu menos gostava em você.

Samson faz silêncio, mesmo que pareça ter muito a dizer.

— Vou passar o dia de hoje procurando emprego. Vou começar a juntar dinheiro para te ajudar a contratar um advogado. Você não está sozinho nessa, Samson.

— Os meus erros também não são responsabilidade *sua*. Não tem nada que você possa fazer. Além do mais, a primeira audiência deve ser só daqui a várias semanas. A essa altura você vai estar na Pensilvânia.

— Eu não vou para a Pensilvânia. — Ele está louco se acha que vou abandoná-lo. Ele acha mesmo eu vou deixá-lo preso numa cadeia e partir para o outro lado do país, como se o verão não tivesse feito nascerem ossos no meu coração? — E o filho da Marjorie? Que área do direito ele pratica?

Ele não responde a minha pergunta.

— Samson? — Afasto o celular do ouvido e vejo que a ligação foi encerrada. — *Merda*.

Pressiono o telefone na testa. Ele não vai conseguir me ligar outra vez. Vou ter que esperar até amanhã para conversarmos ao vivo. Já tenho muitas outras perguntas para acrescentar à lista.

Mas também tenho trabalho a fazer, então saio pela rua, rumo à casa de Marjorie. Bato à porta até que ela atenda.

Esqueci que ainda está supercedo. Ela abre a porta de camisola, amarrando o robe. E me olha de cima a baixo.

— Que consumição é essa?

— É o Samson. Ele foi preso.

Os olhos dela se enchem de preocupação, e ela deixa que eu entre.

— Por conta de quê?

— A casa onde ele estava não é dele. Ele foi preso hoje de manhã, porque os donos apareceram no meio da noite.

— O Samson? Tem certeza?

Meneio a cabeça.

— Eu estava junto. Ele vai precisar de um advogado, Marjorie. Alguém que possa se dedicar mais ao caso do que um defensor público.

— Sim, boa ideia.

— O seu filho. Que área do direito ele exerce?

— Ele é... *não*. Não, não posso pedir isso ao Kevin.

— Por que não? Vou arrumar um emprego. Vou poder pagar.

Marjorie parece dividida. Não posso dizer que a culpo. No dia em que nos conhecemos, ela admitiu que mal conhecia Samson. Tenho mais a perder nessa situação, mas ela não pode ignorar tudo o que ele fez por ela. Um dos gatos de Marjorie sobe na bancada da cozinha, a seu lado. Ela pega o bichano e o aperta junto ao peito.

— Quanto o Samson cobrou por todo o trabalho que fez aqui?

Ela leva um minuto para entender a pergunta. Sua postura desaba.

— Nada. Ele não aceitava receber dinheiro nenhum.

— Pois é. Ele não é má pessoa, Marjorie, e você sabe disso.

— Entrego meu celular a ela. — Por favor. Liga para o seu filho. Você deve esse favor ao Samson.

Ela deixa o gato no chão e dispensa meu telefone.

— Não sei usar essas coisas.

Dá uns passos, pega um aparelho de telefone fixo e começa a discar o número do filho.

•

Kevin concordou em entrar em contato com Samson, mas só por saber o quanto ele ajudou Marjorie nos últimos meses. Não concordou em pegar o caso sem cobrar honorários; não concordou nem em pegar o caso, na verdade, mas já estou um passo à frente de onde estava antes de chegar à casa de Marjorie.

Na saída, ela me empurra um quilo de noz-pecã.

— Semana que vem vou ter amêndoas — diz.

Dou um sorriso.

— Obrigada, Marjorie.

Quando chego de volta em casa, deixo as nozes sobre a mesa e pego as duas mochilas que meu pai trouxe mais cedo. Estou subindo as escadas quando o vejo despontar no corredor.

— Beyah?

Continuo andando.

— Vou passar o resto do dia no quarto. Vou ficar deitada e prefiro não ser incomodada.

— Beyah, espera — diz ele.

Quando chego ao topo da escada, ouço a voz de Alana:

— Ela pediu para ficar sozinha, Brian. Deve estar falando sério.

Alana tem razão. Eu estou falando sério. Não estou a fim de ouvir palestrinha do meu pai dizendo que Samson é uma pessoa horrível. Estou triste demais para isso. E muito cansada.

Acho que tive umas duas horas de sono ontem à noite, no máximo, e mesmo com a adrenalina correndo solta em minhas veias desde que acordei, meus olhos vão ficando mais pesados a cada segundo que passa.

Largo as mochilas junto à cama e desabo no colchão. Fico deitada, encarando as portas de vidro da sacada. Está tão claro lá fora. Tão quente. Tão alegre.

Eu me levanto, fecho as cortinas e volto para a cama. Só quero que o dia acabe, e ainda não chegou nem a hora do almoço.

Eu me viro, reviro e passo mais de uma hora encarado o teto. Não consigo parar de pensar no que vai acontecer. Por quanto tempo ele vai ficar preso? Será que vai ser condenado a muito tempo de prisão? Se realmente há tantas acusações contra ele, de quanto tempo estamos falando? Seis meses? Dez anos?

Não vou conseguir dormir sem ajuda. Minha mente está muito acelerada. Abro a porta e espero até sentir que não há ninguém na cozinha. Desço as escadas e vou até a despensa. Sei onde ficam os remédios. Percorro os frascos, mas não encontro nada que me ajude a dormir.

De repente eles guardam nos banheiros. Meu pai e Alana já devem estar a caminho do trabalho, então vou até a suíte deles e abro o armário de remédios. Só vejo uma pasta de dentes e uma escova reserva. Uma pomada qualquer. Um potinho com cotonetes.

Bato a porta do armário, mas levo um susto ao ver Alana atrás de mim, pelo reflexo do espelho.

— Desculpa. Achei que vocês estivessem no trabalho.

— Tirei o dia de folga — responde ela. — O que você estava procurando?

Eu me viro para ela, desesperada.

— Só queria um calmante, alguma coisa. Preciso dormir. Ainda não consegui dormir, minha mente está acelerada. — Balanço as mãos junto à cabeça, tentando conter as lágrimas que por um milagre estou evitando desde ontem à noite.

— Posso fazer um chá para você.

Chá? Ela quer me fazer um chá?

Ela é dentista, com certeza nesta casa deve haver um tranquilizante que derrube um leão.

— Não quero *chá*, Alana. Preciso de uma coisa mais forte. Não quero estar acordada agora. — Cubro o rosto com as mãos. — Pensar dói demais — sussurro. — Não quero nem sonhar com ele. Só quero dormir, sem sonhar, sem pensar, sem sentir nada.

Sinto umas pontadas bem no meio do peito.

Tudo o que Samson disse ao telefone me atinge com tanta força, que me apoio na pia para não cair. Sua voz ecoa em minha cabeça. *"Vou passar um tempo aqui, Beyah."*

Quanto mais preciso enfrentar até ser feliz de novo?

Não quero voltar a ser quem era antes de conhecê-lo. Não havia nada em mim além de raiva e amargura. Não havia ternura, alegria, aconchego.

— E se ele ficar tanto tempo preso, que quando sair já não queira fazer parte da minha vida?

Eu não pretendia dizer isso em voz alta. Ou talvez pretendesse.

As lágrimas irrompem de meus olhos, e Alana responde na mesma hora. Não diz nada que me deixe mal por estar triste. Apenas me abraça e deita minha cabeça em seu ombro.

É uma sensação de aconchego totalmente desconhecida, mas da qual necessito desesperadamente. O conforto de uma mãe. Agarrada a ela, passo vários minutos chorando de soluçar. Eu não sabia que precisava tanto disso. De *alguém* com um pouquinho de compaixão.

— Queria que você fosse minha mãe — digo, em meio às lágrimas.

Sinto o suspiro dela.

— Ah, minha linda — suspira Alana, compassiva. Afasta-se um pouco e me olha com delicadeza. — Vou te dar um zolpidem, mas vai ser só desta vez.

Assinto.

— Prometo que nunca mais vou pedir.

Vinte e seis

Meu sono foi pesado demais. Parece que meu cérebro está esmagado do lado direito da cabeça.

Eu me sento na cama e olho para fora. Já é quase noite. Olho o celular e vejo que já passa das sete. Meu estômago está roncando tanto, que deve ter sido isso o que me acordou.

Deixei o toque do telefone no volume máximo, mas não ouvi nada, e não há chamadas perdidas.

Mais quatorze horas até que eu possa vê-lo.

Estendo o braço ao chão e pego a mochila de Samson. Viro o conteúdo em minha cama e começo a vasculhar.

Literalmente todos os pertences dele estão agora sobre a minha cama.

Há dois shorts e duas camisetas da marca de Marcos. Ele estava usando short e camiseta quando foi preso, então será que só tem três mudas de roupa? Eu percebi que ele repetia bastante as mesmas camisetas, mas imaginei que fosse para dar uma força a Marcos. Devia lavar roupa com frequência, para que ninguém percebesse.

Dentro de um saquinho há uns produtos de higiene. Pasta de dentes, desodorante, escova de dente, cortador de unha. Mas não vejo carteira.

Será que ele realmente perdeu a carteira antes de fazermos as tatuagens, ou nunca teve carteira nenhuma? Se vive sozinho desde a morte do pai, como foi que conseguiu habilitação para dirigir?

Tenho tantas perguntas. E durante a visita de amanhã não terei tempo de ouvir todas as respostas.

No fundo da mochila, encontro um saquinho de fecho hermético, repleto de papéis dobrados. Estão todos meio desbotados e amarelados, então com certeza são velhos.

Abro o saquinho, pego uma das folhas e desdobro.

Garotinho

Corroído como eu pelo festejar
Com olhos cheios de exaustão
Ele sente raiva do mar
Mais cansado que deveria estar
Cansado de livre vagar

—Rake Bennett
13-11-07

Samson mencionou que Rake escrevia poesias. Encaro o texto, tentando compreender.

Será que é sobre Samson? Será que todas as anotações são do pai dele? Pela data, Samson devia ter uns doze anos de idade. Um ano antes do furacão.

Cansado de livre vagar.

O que significa esse verso? Será que o pai achava que Samson estava cansado de levar a vida no mar, com ele?

Pego as outras folhas de papel. Preciso ler cada uma delas. Todas têm data de antes do furacão, todas escritas pelo pai.

Ela vive

Quando você nasceu, sua mãe nasceu também.
Enquanto você viver,
 ela viva estará.

—Rake Bennett
30-08-06

Partida

Conheci sua mãe na praia,
os pés enterrados no chão.
Me arrependo de não ter me ajoelhado, catado um pouco
daquela
areia
na palma de minha mão.
Será que algo em que a gente toca já foi pisado
pelos pés dela?
Ou terá a maré levado todos os grãos de areia que ela já roçou?

—Rake Bennett
16-07-07

Querido Shawn,

Toda criança uma hora deseja estar num novo lugar.
Sua primeira casa seria um barco, eu decidi, mas agora reflito,
Será este barco a casa de onde você vai escapar?
Se for,
em minha conta recai esse grave pesar.
Pois quando um homem diz *vou para casa*,
é para o mar que ele deveria rumar.

—Rake Bennett
03-01-08

Há pelo menos uns vinte poemas e cartas no saquinho. Somente alguns estão endereçados a Samson, mas tomando tudo por base, tenho a impressão de que Samson me contou a verdade a respeito do pai. Rake vivia na água, mas a parte que Samson deixou de fora foi que ele próprio vivia na água com Rake.

Vinte e sete

— Beyah Grim?

Praticamente dou um pulo da cadeira. Meu pai também se levanta, mas não quero que ele entre comigo para ver Samson.

— Você não precisa vir.

— Não vou deixar que você entre sozinha. — A afirmação é categórica, como se não houvesse espaço para negociação.

— Pai, *por favor*. — Não sei se Samson vai querer ser honesto comigo, com meu pai sentado à sua frente. — Por favor.

Ele assente com firmeza.

— Te espero no carro.

— Obrigada.

O guarda me acompanha até uma sala grande e aberta. Vejo várias mesas, quase todas ocupadas por visitantes de outros detentos.

É deprimente. Mas não tanto quanto imaginei que seria. Imaginei que ficaríamos separados por uma vidraça, sem poder nos tocar.

Meus olhos logo procuram e encontram Samson, sentado sozinho a uma mesa do outro lado da sala. Está de macacão azul-escuro. Vê-lo usando outra coisa além do costumeiro short de praia faz tudo isso parecer muito mais real.

Quando ele enfim ergue os olhos e me vê, levanta-se na mesma hora. Não sei por que imaginei encontrá-lo algemado, mas estou aliviada em ver que não está. Corro até ele e me jogo em seus braços. Ele me puxa, com os braços rígidos.

— Me desculpa — diz ele.

— Está tudo bem.

Ele me abraça por um instante, mas não quero que arrume problemas, então nos afastamos e eu me sento à frente dele. A mesa é pequena, então estamos próximos, mas parece que há um abismo entre nós.

Por sobre a mesa, ele apoia as duas mãos na minha.

— Eu te devo tantas respostas. Por onde você quer que eu comece?

— Tanto faz.

Ele reflete por um instante. Eu trago a outra mão para junto das dele e vejo nossas mãos na mesa, umas sobre as outras.

— Tudo o que te contei sobre a minha mãe era verdade. O nome dela era Isabel. Eu só tinha cinco anos quando tudo aconteceu, mas mesmo sem lembrar muito como era a minha vida antes da morte dela, sei que tudo mudou drasticamente depois que ela se foi. O Rake é meu pai; isso eu omiti. Depois que a minha mãe morreu, ele parecia perdido quando não estava no mar. Parecia impensável para ele estar em qualquer lugar onde ela não estivesse, então ele me tirou da escola e passamos vários anos morando no barco dele. E assim foi a minha vida, até que Darya tirou meu pai de mim.

— Então era disso que você estava falando quando disse que Darya destruiu o seu coração?

Ele assente.

— Onde você estava quando o furacão chegou?

Samson cerra a mandíbula, como se não quisesse reviver essa lembrança.

— Meu pai me deixou numa igreja — responde ele, encarando nossas mãos. — Muitos residentes buscaram abrigo por lá, mas ele se recusou a ficar comigo. Queria garantir que nosso barco estaria seguro, já que toda a nossa vida estava lá. Falou que voltava antes de escurecer, mas depois daquela noite nunca mais o vi. — Ele me olha outra vez. — Eu queria continuar na península, mas não sobrou nada depois do furacão. Era difícil para um garoto de treze anos se esconder por lá, ou mesmo sobreviver, então eu tive que ir embora. Sabia que seria jogado num orfanato se contasse a alguém que meu pai havia desaparecido, então passei os anos seguintes tentando passar despercebido. Acabei trabalhando com um amigo em Galveston, fazendo uns bicos, tipo cortar grama. É o cara que você conheceu no restaurante. Éramos muito novos e fizemos umas bobagens. Acabamos sendo presos.

— E a acusação de incêndio criminoso?

— Não foi culpa minha, tecnicamente. A fiação elétrica da casa era péssima, mas se eu não tivesse invadido aquela noite e acendido as luzes, o incêndio jamais teria acontecido. Então, no papel, a culpa *foi* minha. — Samson entrelaça os dedos nos meus. — Quando eu soube que tinha sido expedido um novo mandado de prisão para mim, resolvi voltar aqui uma última vez antes de me entregar. Não sei se estava buscando um ponto final ou se esperava achar o meu pai, mas acabei encontrando as duas coisas. Também encontrei você, e não quis mais ir embora. — Com o polegar, Samson acaricia o dorso de minha mão esquerda. — Eu sabia que ia passar um tempo na cadeia, então quis estender meu tempo com você antes de você ir embora. — Ele suspira. — O que mais você quer saber?

— Como é que você sabia a senha do alarme da casa?

— A senha é o próprio número da casa. Coisa mais fácil de adivinhar.

É difícil julgá-lo, pois seria extremamente hipócrita da minha parte. No mínimo, admiro suas habilidades de sobrevivência.

— E a coisa da Academia da Força Aérea? Nada daquilo era verdade?

Ele olha para baixo, incapaz de me encarar nos olhos. Balança a cabeça.

— Eu queria ir para a Força Aérea. Esse era o plano, só que ferrei com tudo. Mas em relação a algumas coisas eu menti, tipo a tradição de família. Falei muita coisa que não era verdade. Mas precisei sustentar minha permanência naquela casa, e disse mentiras que jamais quis te contar. Por isso eu não respondia às suas perguntas. Eu não queria ser desonesto com você. Nem com ninguém. Eu só...

— Não teve escolha — digo, completando o pensamento. — Eu entendo. Passei por isso a vida inteira. Foi você quem disse que as decisões erradas podem vir da força ou da fraqueza. Você não mentiu por fraqueza, Samson.

Ele inspira devagar, como se temesse o que virá em seguida. Quando me encara, toda a sua postura muda. Seu olhar faz o peso da sala inteira se avultar por sobre mim.

— Ontem à noite, no telefone, você falou que não ia para a Pensilvânia.

É uma afirmação, mas vejo que ele quer uma resposta.

— Não posso te deixar.

Ele balança a cabeça e afasta as mãos das minhas. Esfrega o rosto, como se estivesse frustrado comigo, então agarra minhas duas mãos com ainda mais força.

— Você vai para a faculdade, Beyah. Não cabe a você arrumar a minha bagunça.

— A sua *bagunça*? Samson, você não fez nada de tão ruim. Você praticamente se criou na rua. Como é que você ia se reerguer depois de ser solto da cadeia pela primeira vez? Tenho certeza de que todo mundo vai entender se você explicar como o incêndio começou, e porque você violou a condicional.

— Para a justiça não importa por que eu infringi a lei; só importa o fato de que infringi.

— Bom, *devia* importar.

— O sistema é falho, Beyah, e não faz a menor diferença. Nós dois não vamos mudar isso da noite para o dia. Devo passar vários anos na cadeira, e não tem nada que eu ou você possamos fazer a respeito, então não tem motivo para você ficar aqui no Texas.

— Você já é motivo suficiente. Como é que vou te visitar se estiver morando na Pensilvânia?

— Não quero que você me visite. Quero que você vá para a faculdade.

— Eu posso fazer faculdade aqui.

Ele ri, mas não sorri. É uma risada exasperada.

— Por que tanta teimosia? Era exatamente esse o nosso plano, seguirmos por caminhos separados quando você fosse para a universidade.

Suas palavras penetram em mim e reviram minhas entranhas.

— Achei que as coisas tinham mudado — digo, num sussurro.

— Você falou que tinham nascido ossos no nosso coração.

Samson sente meu comentário com o corpo inteiro. Afunda um pouquinho na cadeira, como se tivesse levado um golpe. Não quero machucá-lo, mas ele vale mais que isso. Ele para mim não era descartável.

— Não posso ficar tão longe de você — digo, baixinho. — Telefonemas e cartas não vão bastar.

— Também não quero telefonemas nem cartas. Quero que você vá viver sua vida, sem ter que carregar o peso da minha. — Ele vê o choque em meu rosto, mas não me dá tempo de discutir. — Beyah... nós passamos a vida toda ilhados, sozinhos. Por isso nos conectamos, pois reconhecemos no outro toda essa solidão. Só que você agora tem a chance de escapar dessa ilha, e eu me recuso a te segurar durante sei lá quantos anos, enquanto estiver preso.

Sinto as lágrimas. Vejo uma cair na mesa.

— Você não pode me excluir. Não vou conseguir sem você.

— Você *já* conseguiu sem mim — retruca ele, determinado. Estende a mão por sobre a mesa e ergue meu rosto, forçando-me a encará-lo. Parece tão dilacerado quanto eu. — Não tive nada a ver com as suas conquistas. Não tive nada a ver com a pessoa que você se tornou. Por favor, não me transforme numa razão para abandonar tudo.

Quanto mais ele insiste que não quer manter contato comigo, mais irritada eu fico.

— Não é justo. Você espera que eu simplesmente vá embora e não tenha mais nenhum contato com você? Por que você permitiu que eu me apaixonasse, para começo de conversa, se seria esse o resultado?

Ele solta um suspiro profundo.

— A gente combinou que ia terminar em agosto, Beyah. A gente concordou em ficar no raso.

Reviro os olhos.

— Você mesmo disse que as pessoas se afogam no raso. — Eu me debruço sobre a mesa, atraindo seu olhar. — Eu estou me afogando, Samson. E você está me prendendo debaixo da água.

Esfrego os olhos, cheia de raiva.

Samson pega minhas mãos outra vez, mas agora é diferente.

— Me perdoa — diz ele, com a voz tomada de dor. Não diz mais nada, mas sei que é um adeus.

Ele se levanta, encerrando a conversa, mas me olha, como se quisesse que eu me levantasse também. Cruzo os braços diante do peito.

— Não vou te abraçar. Você não merece mais o meu abraço.

Samson assente.

— Nunca mereci, desde o início.

Ele dá meia-volta, e no mesmo instante perco o chão ao imaginar que nunca mais vou vê-lo. Samson só assume esse semblante quando está falando muito sério. Ele não vai permitir que eu torne a vê-lo. É isso. Acabou.

Quando ele começa a caminhar, eu dou um pulo.

— Samson, espera!

Ele se vira bem a tempo de me segurar, quando largo os braços em torno dele. Enterro o rosto em seu pescoço. Quando ele me abraça, começo a chorar.

Penso tanta coisa ao mesmo tempo. Já sinto saudade dele, mas por outro lado nunca senti tanta raiva. Eu sabia que este momento chegaria — a despedida. Mas não sabia que seria assim. Eu me sinto impotente. Queria que nosso adeus fosse uma escolha na qual eu tivesse participação, mas acabou que não estou tendo escolha nenhuma.

Ele beija minha cabeça.

— Aceite a bolsa, Beyah. E se divirta. *Por favor.* — No *por favor*, a voz dele falha.

Ele me solta e caminha até um guarda parado junto à porta. Eu me sinto pesada sem ele, como se tivesse perdido meu principal apoio e já não pudesse me manter de pé sozinha.

Samson é conduzido para fora da sala, sem nem olhar a destruição que deixou para trás.

Quando chego ao carro de meu pai, estou aos prantos. Bato a porta, raivosa e desconsolada. Não consigo nem começar a absorver o que acabou de acontecer lá dentro. Por essa eu não esperava. Eu esperava o exato oposto. Achei que fôssemos agir em parceria, mas em vez disso ele me deixou totalmente sozinha, como todas as outras pessoas em minha vida.

— O que aconteceu?

Balanço a cabeça. Não consigo falar.

— Só dirige.

Meu pai agarra o volante com força, embranquecendo os nós dos dedos. Dá partida no carro e engata a marcha à ré.

— Eu devia ter acabado com ele no dia do chuveiro.

Nem sequer tento explicar que ele, naquela noite, não estava me protegendo de Samson. Samson estava me ajudando, mas a essa altura qualquer explicação seria em vão. Então, opto por uma afirmação genérica.

— Ele não é má pessoa, pai.

Meu pai põe o carro em ponto morto. Olha para mim com o semblante inflexível.

— Não sei onde foi que errei como pai, mas não criei uma filha para defender um cara que passou o verão inteiro mentindo para ela. Você acha que ele se importa com você? Ele só se importa com ele mesmo.

É sério isso?

Ele teve mesmo a audácia de dizer que me *criou*?

Cravo os olhos nele, com a mão na maçaneta da porta.

— Você não criou uma filha, *ponto final*. Se alguém tem mentindo aqui é *você*.

Abro a porta e saio do carro. Não há a menor chance de eu ficar presa nesse carro com ele até chegar à península Bolívar.

— Volta para o carro, Beyah.

— Não. Vou pedir a Sara para me buscar.

Eu me sento no meio-fio. Meu pai sai do carro enquanto pego meu celular. Dá um chute nas pedras do chão e aponta para o carro.

— Entra. Eu te levo para casa.

Depois de digitar o número de Sara, enxugo as lágrimas do rosto.

— Não vou entrar no seu carro. Pode ir.

Ele não vai. Sara concorda em vir me buscar, mas meu pai permanece sentado no carro, pacientemente, até ela chegar.

Vinte e oito

A semana foi agonizante, sem notícias de Samson. Nenhuma notícia. Tentei visitá-lo duas vezes, mas ele agora se recusa a me receber.

Não tenho absolutamente nenhuma forma de me comunicar com ele. Só tenho as lembranças do tempo que passamos juntos a que me agarrar, e já estou achando que elas vão começar a esvanecer se eu pelo menos não ouvir a voz dele.

Será que meu papel é mesmo apenas seguir em frente? Esquecê-lo? Ir para a faculdade como se ele não tivesse me forçado a mudar por completo neste verão, a me tornar uma versão melhor de mim mesma?

Parei de falar sobre Samson com as pessoas em casa. Não quero nem que mencionem o nome dele, pois isso só leva a mais discussão. Passei quase a semana toda enfiada no quarto. Ando ocupando meus dias com programas bobos de tevê e visitas à casa de Marjorie. Ela é a única com quem falo a respeito dele. É a única que está do meu lado.

Passei a semana toda alternando as duas camisetas que estavam na mochila de Samson, mas elas já não guardam o cheiro dele. Agora têm o meu cheiro, e é por isso que estou agarrada à mochila dele, assistindo à maratona de um programa de confeitaria britânico.

Não sei o que fazer com as coisas dele. Duvido que ele esteja ligando para os itens de higiene, e não havia nada de valor na mochila além dos poemas escritos por seu pai. Mas não quero entregá-los a Marjorie para que ela leve para ele, pois sinto que são a última conexão que tenho com Samson.

Talvez um dia esses poemas sejam a única desculpa possível para que ele volte a falar comigo.

Alguma hora terei que seguir em frente. Sei que vou, mas enquanto eu ainda estiver aqui e ele ainda estiver na cadeia, não vou conseguir me dedicar a nada mais.

Ajeito a mochila nos braços, feito uma almofada, mas sinto uma pontada na têmpora. Abro a mochila para ver se deixei passar algum item, mas não vejo nada. Vou remexendo a mão lá dentro, então encontro um zíper que não tinha visto antes.

Na mesma hora, eu me sento e abro o zíper. Encontro um caderninho de capa dura. Deve ter uns dez centímetros de comprimento. Abro o caderninho e vejo vários nomes, endereços e listas que parecem de mercado.

Vou percorrendo várias páginas, incapaz de entender. Então chego a uma página com o nome e o endereço de Marjorie.

Marjorie Naples
Data de estadia: 04-02-15 a 08-02-15.
Comi 15 dólares em comida.
Consertei telhado. Consertei dois pedaços da calha na parte norte da casa destruídos pelo vento.

Depois do nome e endereço de Marjorie há vários outros, mas preciso entender a importância dessas datas. Pego meu celular e ligo para ela.

— Alô?

— Oi, é a Beyah. Uma pergunta, rapidinho. As datas de quatro a oito de fevereiro deste ano têm algum significado para você?

Marjorie reflete um instante.

— Tenho quase certeza de que foram os dias que passei no hospital, depois do infarto. Por quê?

— Só uma coisa que encontrei na mochila do Samson. Mais tarde levo aí, para você entregar ao Kevin.

Eu me despeço dela, finalizo a chamada e começo a espiar tudo o mais que ele escreveu. O endereço mais comum é o da casa ao lado, de David Silver. Há várias datas listadas. A maioria entre março e a semana passada. Sob o nome de David há uma lista de consertos.

Prendi várias ripas soltas no parapeito da sacada do quarto. Troquei um fusível queimado no quadro de luz. Consertei um vazamento no chuveiro de fora.

A lista é enorme. Exibe uns trabalhos aleatórios que ele fez e quanto recebeu em pagamento, o que explica o fato de às vezes ter dinheiro para sair para jantar e fazer tatuagem. Também há listas de pessoas para quem ele trabalhou e de quem não recebeu pagamento algum.

Todos os dias dos últimos sete meses estão anotados. Cada item de comida que ele pegou da geladeira de alguém sem permissão. Cada conserto que fez. Ele mantinha registro de tudo.

Mas por quê? Será que ele sentia que consertar essas casas sem cobrar nada compensava o fato de viver nelas sem permissão?

Seria essa a prova necessária para que a justiça entenda que ele não merece todas as acusações que estão sendo imputadas contra ele?

Corro para o andar de baixo e encontro meu pai e Alana no sofá da sala. Sara e Marcos estão aconchegados na poltrona. Estão todos vendo um programa de auditório, mas meu pai silencia o volume quando vê que desci as escadas hoje pela primeira vez.

Entrego o caderno a meu pai.

— Isso aqui é do Samson. — Ele pega o caderno e começa a passar as folhas. — É uma lista detalhada de todos os lugares onde ele já ficou e tudo o que consertou.

Meu pai se levanta, ainda folheando o caderno.

— Pode ser que ajude — prossigo. Pela primeira vez desde que ele foi preso, minha voz se enche de esperança. — Se a gente conseguir provar que ele estava tentando fazer a coisa certa, pode ser que ajude a defesa dele.

Antes mesmo de passar outras páginas, meu pai solta um suspiro. Fecha o caderno e entrega de volta para mim.

— É uma lista detalhada de tudo o que ele fez de errado. Isso vai prejudicar, não ajudar.

— Você não sabe disso.

— Beyah, ele só está sendo acusado de duas violações de domicílio. Se você levar isso à polícia e mostrar quantas casas mais ele ocupou, isso tudo vai ser *somado* às acusações, não ajudar a suavizá-las. — Ele se aproxima de mim, com o olhar frustrado. — Esquece isso, *por favor*. Você é muito jovem para deixar que um cara que mal conhece consuma a sua vida desse jeito. Ele errou e precisa pagar por isso.

Alana, agora de pé, segura o braço de meu pai, demonstrando apoio a ele.

— O seu pai tem razão, Beyah. Não tem nada que você possa fazer, só seguir em frente.

Sara e Marcos ainda estão sentados na poltrona, me olhando de um jeito que me faz sentir patética.

Todos eles me acham patética.

Ninguém quer saber o que vai acontecer a Samson. Ninguém acredita no que a gente tinha. Pela primeira vez na vida, eu tinha alguém que realmente gostava de mim, e esses quatro me consideram incapaz de saber o que é o verdadeiro amor.

Sei o que é o amor, pois passei a vida inteira sabendo o que *não* é.

— A minha mãe morreu.

Parece que todo o ar do recinto se esvai depois do que digo.

Alana leva a mão à boca.

Meu pai balança a cabeça, incrédulo.

— Oi? Quando?

— Na noite em que te liguei e pedi para vir para cá. Ela teve uma overdose, porque é dependente química desde que eu me entendo por gente. Não tive ninguém para me apoiar. Nem você. Nem a minha mãe. *Ninguém.* Passei a *porra* da vida inteira sozinha. O Samson é a primeira pessoa que veio torcer por mim.

Meu pai se aproxima de mim, com o rosto contorcido por pena e confusão.

— Por que você não me contou essas coisas? — Ele corre a mão pelo rosto. — *Meu Deus*, Beyah.

Ele tenta me abraçar, mas eu me afasto.

Eu me viro para subir a escada, mas meu pai me chama:

— Espera. A gente tem que falar sobre isso.

Agora que a raiva veio à tona, me sinto sufocada por ela. Preciso tirar tudo isso de mim enquanto é chance. Dou um giro e olho meu pai outra vez.

— Falar sobre o quê? Sobre todas as outras coisas eu escondi de você? Que saber a mentira que eu contei lá no aeroporto? A companhia aérea não perdeu a minha bagagem. Eu nunca tive nada, porque a Janean ficava com cada centavo do dinheiro que você me mandava. Tive que começar a dar para um cara por dinheiro aos quinze anos, para ter o que comer. Então, Brian, vai se foder. Você não é meu pai. Nunca foi e nunca será!

Não espero a reação de ninguém. Subo a escada a passos firmes e bato a porta com força.

Trinta segundos depois, meu pai abre a porta.

— Sai, por favor — digo, totalmente desprovida de emoção.

— A gente precisa conversar.

— Quero ficar sozinha.

— Beyah — diz ele, em tom de súplica, entrando no quarto. Avanço até a porta, recusando-me a ser afetada por seu olhar.

— Você passou dezenove anos sendo um pai ausente. Não estou no clima para ver você vir pagar de paizão do ano. Por favor, me deixa sozinha.

Tanta coisa passa pelos olhos do meu pai neste momento. Tristeza. Arrependimento. Empatia. Mas não permito que esses sentimentos afetem os meus. Encaro-o com firmeza, até que ele enfim assente e sai do meu quarto.

Fecho a porta.

Desabo na cama e puxo o caderno de Samson.

Para eles, este caderno pode ser uma lista de todo mundo da península a quem ele fez mal, mas para mim é a prova cabal de que suas intenções eram boas. Ele tentou fazer a coisa certa usando meios inexistentes.

Folheio o caderno outra vez e leio cada página, tocando as palavras com a ponta do dedo, traçando a caligrafia relaxada. Leio os endereços de todos os lugares por onde ele já passou. Metade do caderno está preenchido. Está meio rasgado e difícil de ler em algumas partes, como se ele escrevesse tudo com pressa e fechasse o caderno antes de ser pego.

Vou até as últimas páginas e paro numa que é diferente do resto. É diferente porque tem o meu nome, bem no alto.

Trago o caderno ao peito e fecho os olhos. O que está escrito é bem curtinho, mas tem meu nome.

Inspiro e expiro várias vezes, até que meus batimentos retornem ao normal. Então afasto o caderno do peito e leio as palavras.

Beyah,
Meu pai um dia me disse que o amor é como a água.
Pode ser tranquilo. Raivoso. Ameaçador. Apaziguante.
A água pode ser muitas coisas, mas em todas as suas formas sempre será água.
Você é a minha água.
Acho que talvez eu seja a sua, também.
Se você estiver lendo isso, quer dizer que evaporei.
Mas não quer dizer que você deva evaporar, também.
Vá inundar a porra do mundo todo, Beyah.

Essa é a última coisa escrita no caderno. Como se ele temesse ser preso antes de se despedir de mim.

Leio o bilhete várias vezes, e minhas lágrimas vão pingando na folha. *Este* é Samson. Não dou a mínima para o que os outros acreditam. É a essa pessoa a que vou me agarrar até o dia em que ele for solto.

Também é essa a razão por que me recuso a ir embora. Ele precisa da minha ajuda. Sou tudo o que ele tem. Não há meio de eu simplesmente me afastar dele agora. A ideia de sair desta cidade antes de saber qual será o destino dele é uma jogada egoísta. Ele acha que está me fazendo um favor, mas não faz ideia do que sua decisão está fazendo comigo. Se soubesse, imploraria para que eu ficasse.

Ouço uma leve batida à minha porta.

— Beyah, posso entrar?

Sara põe a cabeça para dentro, mas não estou a fim de discutir. Não sei nem se tenho força para dizer isso em voz alta. Apenas aperto junto ao peito o caderno com as palavras dele e viro o corpo para a parede.

Sara se deita na cama comigo e me abraça por trás.

Não diz nada. Apenas assume o papel de irmã mais velha, em silêncio, e fica comigo até que eu adormeça.

Vinte e nove

A essa altura, o nascer do sol é a única coisa pacífica que tenho na vida.

Estou esperando aqui fora desde as cinco da manhã. Não consegui dormir. Como vou dormir depois da semana que passei?

Toda vez que fecho os olhos, vejo Samson se afastando de mim sem olhar para trás. Quero recordar todas as vezes que ele me olhou com esperança, entusiasmo, intensidade. Mas tudo que vejo é o último momento, em que ele me deixou sozinha e aos prantos.

Temo que seja essa minha lembrança dele, e não quero que o nosso último adeus seja assim. Estou confiante de que posso fazê-lo mudar de ideia. Estou confiante de que posso ajudá-lo.

Hoje tenho uma entrevista de emprego na única loja de donuts da península. Vou juntar cada centavo que puder para ajudá-lo. Sei que ele não quer, mas é o mínimo que posso fazer por tudo o que ele trouxe à minha vida neste verão.

Esse sem dúvida será um ponto de disputa entre mim e meu pai enquanto eu estiver nesta casa com ele. Ele acha que estou sendo ridícula por não ir para a Pensilvânia. Eu acho que ele está sendo ridículo por esperar que eu abandone alguém que não tem simplesmente ninguém. Quase ninguém conhece a solidão como eu e Samson.

Também não sei como meu pai espera que eu recomece a vida em um novo estado pela segunda vez no mesmo verão. Não tenho energia para recomeçar. Estou totalmente drenada.

Não tenho energia para cruzar o país, e, sobretudo não tenho energia para jogar voleibol de modo a sustentar minha bolsa.

Não sei nem se tenho energia para levantar da cama e fazer donuts todo dia, caso consiga o emprego, mas saber que cada centavo será usado para ajudar Samson vai fazer com que valha a pena.

Tão logo o sol começa a despontar no horizonte, minha atenção é desviada para a porta do quarto. Meu pai enfia a cabeça pela porta, e meu corpo todo desaba num suspiro diante da presença dele.

Era muito tarde para discutir ontem à noite, e é muito cedo para discutir hoje de manhã.

Ele parece aliviado em me ver sentada aqui. Quando não me viu na cama, deve ter achado que eu tinha fugido de casa durante a madrugada.

Tive vontade de fugir muitas vezes, mas aonde iria? Parece que já não pertenço a lugar algum. Samson foi o primeiro lugar ao qual senti que pertencia, e isso foi arrancado de mim.

Meu pai se senta ao meu lado. Não relaxo perto dele como relaxava com Samson. Permaneço rígida, renitente.

Ele assiste comigo ao nascer do sol, mas sua presença estraga tudo. É difícil encontrar a beleza nessa cena com tanta raiva dirigida ao homem sentado ao meu lado.

— Lembra a primeira vez que a gente foi à praia? — pergunta ele.

Balanço a cabeça.

— Eu nunca tinha ido à praia antes deste verão.

— Tinha, sim. Mas você era muito novinha. Talvez não se lembre, mas eu te levei a Santa Monica quando você tinha uns quatro, cinco anos.

Eu enfim faço contato visual com ele.

— Eu já fui à Califórnia?

— Sim. Você não lembra?

— Não.

Por um instante ele exibe uma expressão de pesar, então tira o braço do encosto da cadeira e se levanta.

— Já volto. Tenho umas fotos em algum lugar. Peguei o álbum lá da casa de Houston quando soube que você estava vindo.

Ele tem fotos da minha infância? Numa praia, supostamente? *Só acredito vendo.*

Minutos depois, meu pai retorna com um álbum de fotos. Senta-se outra vez na cadeira, abre o álbum e entrega a mim.

Ao olhar as fotos, sinto que estou olhando a vida de outra pessoa. Há tantas fotografias que nem sequer me lembro de terem sido tiradas. Dias dos quais não tenho qualquer recordação.

Vejo uma sequência de fotos minhas correndo na areia e não consigo atrelá-las a nenhuma memória. Nessa idade eu nem devia saber o significado de fazer uma viagem de carro.

— Quando foi isso? — pergunto, apontando para uma imagem de mim sentada a uma mesa, diante de um bolo de aniversário, mas vejo no fundo uma pequena árvore de Natal. Faço aniversário meses depois do Natal, e só costumava visitar meu pai no verão. — Não me lembro de ter passado nenhum Natal com você.

— Teoricamente, não passou. Como você só ia me ver no verão, eu transformava todos os feriados numa única celebração grandona.

Agora que ele mencionou, eu me recordo vagamente. Tenho a lembrança distante de estar abrindo presentes, com a pança dolorida de tão cheia. Mas isso já faz muito tempo, e essas recordações não me acompanharam ao longo dos anos. Ao que parece, as tradições também não.

— Por que você parou? — pergunto.

— Não sei, na verdade. Você começou a crescer, e a cada visita parecia menos interessada nessas coisinhas bobas. Ou talvez eu tenha deduzido isso. Você era uma criança tão calada... era difícil arrancar qualquer coisa de você.

A culpada disso é minha mãe.

Folheio o álbum e paro numa foto em que estou sentada no colo de meu pai. Nós dois sorrimos para a câmera. Ele está me abraçando, e eu estou encolhidinha perto dele.

Todos esses anos, achei que ele nunca tivesse sido carinhoso comigo. Passei tantos anos *sem* receber carinho, que é *disso* que mais me recordo.

Corro o dedo pela foto, triste com o que possa ter acontecido a nós para mudar esse relacionamento.

— Quando foi que você parou de me tratar como sua filha?

Meu pai suspira, um suspiro repleto de coisas.

— Quando você nasceu eu tinha vinte e um anos. Eu nunca soube o que estava fazendo. Quando você era pequenina era mais fácil fingir, mas depois que você cresceu, eu só... eu me sentia culpado. E essa culpa começou a afetar o nosso tempo juntos. Eu sentia que as suas visitas eram inconvenientes para você.

Balanço a cabeça.

— As visitas eram a única coisa pela qual eu esperava.

— Eu queria ter sabido disso — responde ele, baixinho.

Começo a desejar ter dito a ele.

Se existe algo que aprendi com Samson neste verão é que guardar tudo não leva a nada. Só faz com que a verdade machuque ainda mais, no fim das contas.

— Eu não fazia ideia do tipo de mãe que ela era, Beyah. Ontem à noite a Sara me contou umas coisas que você disse a ela, e... — A voz dele sai trêmula, como se ele lutasse para conter as lágrimas. — Eu fiz tanta coisa errada. Não tem desculpa. Você tem todo o direito de se ressentir, porque você tem razão. Eu devia ter me esforçado mais para te conhecer. Eu devia ter me esforçado mais para passar mais tempo com você.

Meu pai pega o álbum de fotos e apoia na cadeira a seu lado. Então me encara, com o semblante cheio de desconforto.

— Sinto que isso que você está fazendo... deixando o destino desse cara ditar o seu próprio futuro... é culpa minha, pois eu nunca servi de exemplo para você. Mas, apesar disso, você se tornou essa pessoa maravilhosa, o que não é mérito meu. É mérito *seu*. Você é uma lutadora, então naturalmente ia querer ficar e lutar pelo Samson. Talvez seja por ver muito de si mesma nele. Mas... E se ele não for quem você está pensando e você acabar tomando a decisão errada?

— E se ele for exatamente quem eu estou pensando?

Meu pai segura minha mão direita entre as dele. Parece muito sincero, encarando-me com crueza e honestidade.

— Se o Samson for a pessoa que você acredita, o que você acha que ele ia querer para você? Acha que ele ia querer que você desistisse de tudo pelo que se esforçou?

Desvio os olhos de meu pai e encaro o sol que vem nascendo. Estou prendendo todos os sentimentos na garganta.

— Eu te amo, Beyah. O bastante para admitir que você foi decepcionada por muitas pessoas na vida. E eu sou uma delas. A única pessoa que sempre manteve total lealdade a você foi *você mesma*. Você fará a si mesma um desserviço se não puser *a si mesma* em primeiro lugar neste momento.

Inclino o corpo para a frente e apoio a cabeça nas mãos. Fecho os olhos com força. Sei o que Samson quer: que eu ponha a mim mesma em primeiro lugar. Só que não quero que ele queira isso por mim.

Meu pai esfrega minhas costas, e a sensação é tão reconfortante que eu me aproximo e o abraço. Ele retribui, com um carinho delicado em minha cabeça.

— Eu sei que dói — sussurra ele. — Queria poder te livrar dessa dor.

Dói, mesmo. É brutal. Não é justo. Enfim tenho algo bom na vida, e agora estou sendo forçada a deixar para trás.

Mas ele têm razão. Todo mundo tem razão, menos eu. Preciso me colocar em primeiro lugar. É o que sempre fiz, e até agora vem funcionando.

Penso na carta que Samson me escreveu e naquela última linha que comoveu meu coração. *Vá inundar a porra do mundo todo, Beyah.*

Sorvo o ar salgado da manhã, sabendo que tenho pouco a aproveitar antes de partir para a Pensilvânia.

— Você cuida do Queijo Pepper Jack enquanto eu estiver fora?

Meu pai solta um suspiro de alívio.

— Lógico que cuido. — Ele dá um beijinho em meu cabelo. — Eu te amo, Beyah.

Há muita verdade em suas palavras, e pela primeira vez eu me permito acreditar.

Neste momento, solto tudo. Absolutamente tudo o que carreguei desde a infância e que tanto me pesou o coração.

Libero a raiva dirigida ao meu pai.

Libero até a raiva dirigida à minha mãe.

Deste ponto em diante, decido me agarrar única e exclusivamente às coisas boas.

Posso não terminar o verão com Samson a meu lado, mas vou terminar com algo que não tinha quando cheguei aqui.

Uma família.

Trinta

Minha colega de quarto é uma garota de Los Angeles. Seu nome é Cierra, *com C*.

A gente se dá bem, mas estou tentando manter o foco nos estudos e no voleibol, então não tenho passado muito tempo com ela fora do dormitório. Quando não estamos aqui, dormindo ou estudando, não a vejo muito. É estranho, pois passei um verão inteiro morando a um corredor de distância de Sara e mesmo assim eu a via mais do que vejo a pessoa com quem hoje divido o quarto.

Sinto saudade de Sara, mesmo trocando mensagens com ela todos os dias. Meu pai e eu também nos falamos.

Mas ninguém fala de Samson, desde aquela manhã em que decidi vir para a Pensilvânia. Preciso que todos acreditem que segui em frente, mas não sei ao certo como. Penso nele o tempo todo. Se vejo ou ouço alguma coisa, sinto a enorme necessidade de contar a ele. Mas não posso, pois ele fez questão de cortar todos os meios de comunicação que poderia haver entre nós.

Escrevi uma carta, mas ele mandou devolver. Chorei uma tarde inteira, mas depois disso resolvi não escrever mais.

A audiência foi hoje de manhã. Com base em todas as acusações, a previsão é de que ele pegue vários anos de prisão. Passei o dia inteiro ao lado do celular, esperando uma ligação de Kevin.

É a única coisa que tenho feito. Encarar o celular. Esperar. Acabo me cansando e digito o número de Kevin. Sei que ele falou que me ligaria depois da leitura da sentença, mas de repente ele se enrolou. Viro o pescoço, para conferir se Cierra ainda está no banho, e me empertigo na cama assim que Kevin atende.

— Eu ia te ligar agora mesmo.

— E aí?

Kevin suspira, e sinto todo o peso da sentença de Samson.

— Uma notícia boa e uma ruim. Conseguimos mudar a acusação de violação de domicílio para invasão. Mas não cederam quanto ao incêndio criminoso, por conta das câmeras de segurança.

Aperto o braço com força no estômago.

— Quanto tempo, Kevin?

— Seis anos. Mas ele deve sair em quatro.

Levo a mão à testa, e minha cabeça desaba entre os ombros.

— Por que tanto tempo? Isso é tempo demais.

— Podia ter sido muito pior. Ele ia pegar dez anos só pelo incêndio. Se já não tivesse violado uma condicional, provavelmente receberia uma punição leve. Mas esse não é o primeiro crime dele, Beyah.

— Mas você explicou ao juiz *por que* ele violou a condicional? Ele não tinha dinheiro. Como é que uma pessoa que não tem dinheiro vai pagar uma multa de condicional?

— Sei que não é a notícia que você queria, mas foi melhor que o previsto.

Estou tão angustiada. Honestamente, não achei que ele fosse pegar tanto tempo.

— Um estuprador pega menos tempo de prisão que isso. Qual é o problema com o nosso sistema judicial?

— Todos. Você está na faculdade. Podia virar advogada e começar a fazer algo para tentar mudar tudo isso.

Talvez eu vire, mesmo. Ainda não escolhi minha graduação principal, e nada me transtorna mais do pensar em todas as pessoas negligenciadas pelo sistema.

— Para qual penitenciária ele vai?

— Huntsville, Texas.

— Você tem algum endereço para correspondência?

Ouço a hesitação de Kevin do outro lado da linha.

— Ele não quer receber visitas. Nem cartas. Os únicos nomes na lista são o meu e o da minha mãe.

Imaginei. Samson vai bater o pé em relação a isso até o dia em que sair da cadeia.

— Vou te ligar todo mês, até ele ser solto. Mas por favor me liga se houver alguma mudança, ou se ele conseguir a condicional antes. Qualquer coisa. Até se ele mudar de instituição.

— Posso te dar um conselho, Beyah?

Reviro os olhos, à espera de mais um sermão vindo de alguém que mal conhece Samson.

— Se você fosse minha filha, eu ia te dizer para tocar a vida. Você está se esforçando demais por esse cara, e ninguém o conhece tão bem a ponto de saber se ele vale toda essa energia.

— E se o Samson fosse seu filho? — devolvo. — Você ia querer que todo mundo desistisse dele?

Kevin suspira fundo.

— Bom argumento. Mês que vem a gente se fala.

Ele encerra a ligação. Apoio o telefone na mesinha de cabeceira, completamente desorientada. Impotente.

— Você tem um namorado na cadeia?

Ao ouvir a voz de Cierra, eu me viro depressa. Meu primeiro instinto é mentir, pois foi isso o que sempre fiz. Esconder minha verdade de todos ao meu redor. Mas acho que não quero mais ser essa pessoa.

— Não, ele não é meu namorado. É só alguém com quem eu me preocupo.

Cierra olha o espelho e segura uma camiseta na frente do corpo.

— Que bom. Porque vai rolar uma festinha hoje à noite, e quero que você vá. Vai estar cheio de carinhas por lá. — Ela joga a camiseta de lado e segura outra. — De garotas também, se for a sua praia.

Encaro Cierra diante do espelho. Seu olhar é vigoroso e quase nada machucado. Neste exato momento, eu queria ser ela. Uma pessoa empolgada com as partes divertidas da vida universitária, que não carrega o peso de tudo o que passou para chegar até aqui.

Não parecia justo de minha parte ficar me divertindo enquanto Samson está atrás das grades, então as únicas coisas que tenho feito desde cheguei no campus foram estudar, jogar vôlei e pesquisar meios de tirar uma pessoa da cadeia.

Nem a maior apatia mudará o destino de Samson. E, por mais que ele tenha cortado toda a comunicação comigo, sei exatamente o motivo pelo qual fez isso. Ele sabe que eu ficaria muito presa e preocupada se mantivéssemos contato constante. Não dá para sentir raiva dele por isso.

Se não dá para sentir raiva dele, como é que eu vou esquecê-lo?

No entanto, ninguém fará Samson mudar de ideia. É um fato, e eu sei disso, pois se fosse a situação inversa eu desejaria exatamente as mesmas coisas para ele.

Compreendo suas intenções em cada parte de mim. Como ele reagiria se descobrisse que passei todo o período universitário deprimida e solitária, como vivia na escola?

Ele ficaria muito decepcionado se eu desperdiçasse esses anos.

Ou escolho seguir por uma estrada solitária, guardando uma esperança que talvez nunca chegue, ou posso descobrir quem sou enquanto estou neste cenário.

Que versão de mim posso ser enquanto estiver aqui?

Esfrego os olhos. Estou sensível por diversas razões, mas sobretudo por sentir que preciso verdadeiramente me libertar de Samson neste momento, ou ele vai passar os próximos anos me puxando para baixo. Não quero isso. Ele também não.

— Eita — diz Cierra, dando um giro para me olhar. — Não era minha intenção te aborrecer. Você não precisa ir.

Abro um sorriso.

— Não, eu quero ir. Eu quero ir à festa com você. Talvez eu até seja uma pessoa divertida.

Cierra faz um biquinho, como se minhas palavras a entristecessem.

— Mas *lógico* que você é divertida, Beyah. Aqui. — Ela joga para mim a camiseta que está segurando. — Esta cor vai ficar melhor em você.

Eu me levanto e ergo a roupa diante do corpo. Olho meu reflexo no espelho. Sinto a tristeza dentro de mim, mas não a vejo estampada em meu rosto. Sempre escondi muito bem meus sentimentos.

— Quer que eu faça a sua maquiagem?

Faço um gesto de concordância com a cabeça.

— A-hã. Quero, sim.

Cierra retorna ao banheiro. Olho a porta e vejo a imagem da Madre Teresa, que pendurei na parede ao lado bem no dia em que cheguei.

Fico pensando... que versão de si mesma minha mãe poderia ter sido, se não fosse dependente química? Eu queria ter conhecido essa versão.

Pelo bem dela, é essa a versão da qual escolherei sentir saudade. A pessoa que ela nunca teve a chance de ser.

No caminho para o banheiro, beijo meus dedos e toco a imagem.

Cierra está separando a maquiagem. Quando a conheci, prometi a mim mesma que não me precipitaria em julgá-la e rotulá-la como uma mocinha de vestiário, como quase fiz com Sara. A despeito da trajetória de Cierra na escola, ou da minha trajetória, somos todos muito maiores que nossos comportamentos passados, quer tenham sido bons ou maus.

Já não quero ser a versão de mim que julgava os outros antes de aceitá-los. Na verdade, eu estava projetando todos os comportamentos dos quais me ressentia.

Cierra olha meu reflexo no espelho e abre um sorriso, tão empolgada quanto Sara com a ideia de me emperiquitar.

Sorrio de volta e finjo estar empolgada também.

Se eu tiver que passar o ano inteiro fingindo, é isso que vou fazer. Vou sorrir tanto, que meu sorriso falso vai acabar se tornando verdadeiro.

Trinta e um
OUTONO DE 2019

Hoje está com toda a pinta de ser um dia perfeito. É um dia ensolarado de outubro, mas está bem fresquinho, de modo que já estou há duas horas sentada no capô do meu carro e ainda não suei nenhuma gota.

Apesar da bela promessa, porém, o dia ainda pode acabar numa grande decepção. Eu não faço ideia.

Como é que Samson vai reagir quando cruzar aquelas portas? Quem será ele?

Quem terá se *tornado*?

Há uma citação de Maya Angelou que me faz pensar em nossa situação. *Quando alguém lhe mostrar quem é, acredite da primeira vez.*

Eu me agarrei com tamanha força a essa frase, que ela parece gravada em meus ossos. Sempre retorno a ela quando me bate a dúvida, pois quero crer que o verão que passei com Samson me apresentou ao verdadeiro Samson. Quero crer que ele deseja me ver aqui, à sua espera, tanto quanto eu desejo que ele aprecie a minha presença.

Mesmo que não aprecie, acho que já se passou bastante tempo, e os ossos de meu coração já estão cicatrizados. Ainda sobrou uma fissura. Às vezes sinto uma dor. Quase sempre tarde da noite, quando não consigo dormir.

Já faz mais de quatro anos desde a última vez que nos vimos, e eu penso em Samson com cada vez menos frequência, em meio a diversos outros pensamentos. Mas não sei se é porque venho tentando me proteger do que pode acontecer hoje, ou porque Samson de fato foi um romance de verão, em uma vida repleta de outras estações.

Esse é o pior resultado possível — que todos os momentos que compartilhamos e deixaram um impacto tão duradouro em mim na verdade não tenham sido profundos para ele.

Pensei em me poupar desse possível constrangimento. Pode ser que ele me veja aqui esperando e mal se lembre de mim. Ou pior... ele pode sentir pena da garota que insistiu nessa história depois de tanto tempo.

Nos dois casos, vale a pena o risco, pois imaginá-lo saindo por aquela porta sem ninguém para recebê-lo me parece o fim mais triste de todos. Prefiro estar aqui, mesmo que ele não queira, do que não estar e deixá-lo a me esperar.

Kevin me ligou na semana passada e contou que Samson tinha recebido aprovação para ser solto antes do tempo. Antes mesmo de atender ao telefone eu já sabia que era isso, já que Kevin nunca me liga. Sou eu quem sempre liga, para saber as novidades. Ligo tanto para ele, que devo irritar mais do que um operador de telemarketing.

Estou sentada sobre o capô, de pernas cruzadas, comendo uma maçã que acabei de tirar da bolsa. Já faz quatro horas que estou esperando.

Ao meu lado há um homem num carro, também aguardando a soltura de alguém. Ele sai para esticar as pernas e se debruça no carro.

— Quem você está esperando? — pergunta.

Não sei como responder, então dou de ombros.

— Um velho amigo que talvez nem me queira aqui.

Ele chuta uma pedra.

— Eu vim buscar o meu irmão. Já é a terceira vez. Espero que seja a última.

— Tomara — respondo.

Mas duvido. Durante minha estada na faculdade, aprendi o suficiente sobre o sistema prisional para perder quase por completo a fé na capacidade do sistema em prover uma ressocialização adequada aos criminosos.

Por isso agora estou na faculdade de direito. Estou convencida de que Samson não estaria nessa posição se tivesse tido melhores recursos quando foi solto pela primeira vez. No fim das contas, mesmo que eu não fique com Samson, essa história me despertou uma nova paixão.

— A que horas eles costumam abrir as portas? — pergunto ao homem.

O sujeito olha o relógio.

— Imaginei que fosse antes do almoço. Estão atrasados hoje.

Meto a mão na bolsa a meu lado, no capô.

— Está com fome? Tenho batatinhas.

Ele estende as mãos, e jogo o saquinho para ele.

— Valeu — diz o homem, abrindo o saco e jogando uma batatinha na boca. — Boa sorte com o seu amigo.

Dou um sorriso.

— Boa sorte com o seu irmão.

Mordo a maçã mais uma vez e me recosto no para-brisa. Ergo o braço e toco minha tatuagem de cata-vento.

Odiei essa tatuagem depois que Samson foi preso. A intenção era trazer boa sorte, mas pareceu que as coisas ficaram ainda piores do que antes de minha mudança para o Texas. Levei pelo menos um ano até começar a apreciá-la de verdade.

À parte os acontecimentos ligados à prisão de Samson, todos os outros aspectos de minha vida melhoraram depois da tatuagem. Eu me aproximei do meu pai e de sua nova família. Sara agora não só é minha irmã, mas minha melhor amiga.

Fui aceita na faculdade de direito. Ao segurar uma bola de voleibol pela primeira vez na vida, jamais imaginei que isso fosse me transformar numa advogada. *Eu*. A garota solitária que precisou fazer coisas inimagináveis para ter o que comer vai ser advogada.

Talvez esta tatuagem de fato tenha mudado minha sorte. Não do jeito que eu esperava, mas agora, em retrospecto, consigo enxergar tudo de bom que derivou daquele verão. A despeito de quem ele seja hoje, Samson faz parte disso. Cheguei a um ponto da vida em que meu futuro não será ditado pelas consequências de nenhum potencial relacionamento.

Quero que ele seja quem sempre achei que fosse? Óbvio que sim.

Vou desmoronar se ele não for? De maneira alguma.

Ainda sou feita de aço. *Pode vir, mundo. Não dá para estragar o impenetrável.*

— A porta está abrindo — diz o homem no carro ao meu lado.

No mesmo instante, eu me sento e jogo a maçã na bolsa.

Aperto a mão contra o peito e solto o ar quando alguém começa a sair do prédio. Não é Samson.

Eu deslizaria do carro e me levantaria, mas estou com muito medo de minhas pernas bambearem. Estou a cerca de seis metros da entrada, mas há uma chance de que ele não me veja, caso pense que não há ninguém à sua espera.

O homem que saiu parece ter seus cinquenta anos. Perscruta o estacionamento e encontra o carro ao meu lado. Meneia a cabeça, e o irmão nem sequer sai do carro. O homem vem caminhando, se ajeita no banco do passageiro, e os dois vão embora, como se fosse a corriqueira chegada num aeroporto.

Ainda estou sentada no capô, de pernas cruzadas, quando enfim o vejo.

Samson sai do edifício, protege os olhos do sol e mira a calçada, procurando o ônibus.

Meu coração bate depressa. Muito mais do que imaginei. Parece que todos os sentimentos daquela garota de dezenove anos estão emergindo ao mesmo tempo.

Ele não mudou quase nada. Parece mais homem que garoto, o cabelo está um pouco mais escuro, mas tirando isso, ele está igualzinho à imagem que guardo em minha lembrança. Ele afasta o cabelo do rosto e vai rumando para o ponto de ônibus, sem olhar o estacionamento.

Não sei se grito o nome dele ou começo a correr. Ele está se afastando de mim. Pressiono as mãos do capô, preparada para deslizar, quando ele para de andar.

Fica parado um instante, de costas para mim, e eu prendo a respiração de tanta expectativa. Parece que ele quer olhar, mas está com medo de não encontrar ninguém.

No fim das contas, ele começa a dar meia-volta, como se sentisse a minha presença. Seu olhar se conecta ao meu, e ele passa um bom tempo me encarando. Continua tão indecifrável quanto antes, mas não preciso ler seus pensamentos para sentir as emoções trocadas entre nós.

Ele leva as mãos à nuca e dá meia-volta, como se não conseguisse me olhar nem mais um segundo. Eu o vejo girar os ombros e soltar o ar lentamente.

Ele me olha outra vez, agora com uma expressão muito comovente.

— Você foi para a faculdade, Beyah? — grita ele pelo estacionamento, como se fosse a pergunta mais importante do mundo. Mais do que qualquer outra que esteja passando em sua cabeça.

No mesmo instante, uma lágrima gorducha e solitária desde por meu rosto. Faço que sim.

Minha resposta, neste exato momento, parece liberar toda a tensão de sua alma. Ainda estou sentada no capô do carro, mas vejo quando ele franze o cenho. Quero ir até ele, desfazer a ruguinha e dizer que agora está tudo bem.

Ele encara o chão de concreto, como se não soubesse o que fazer. Mas logo descobre, pois começa a vir depressa em minha direção. Nos três últimos metros, dá uma corrida, e eu prendo ar quando ele chega ao carro, pois ele não para. Sobe no capô e por cima de mim, até que sou forçada a me deitar no para-brisa. No instante seguinte sua boca está colada à minha, e ele me pede perdão com uma força silenciosa, que me toca o âmago.

Enrosco os braços em seu pescoço, e parece que não se passou um único segundo. Nos beijamos por vários segundos sobre o capô do carro, até que Samson não aguenta. Ele se afasta, desce do carro, pega meu braço e vai me puxando, baixando meus pés até o chão. Então me envolve, num abraço ainda mais forte que o primeiro abraço que ele me deu na vida.

Os minutos seguintes são uma combinação de lágrimas (quase todas minhas), beijos e olhares incrédulos. Eu tinha tantas perguntas guardadas para este momento, mas agora não consigo pensar em nenhuma.

Quando paramos de nos beijar um pouco, ele diz:

— Eu devia ter perguntado se você estava namorando antes de fazer isso.

Dou um sorriso e balanço a cabeça com veemência.

— Estou solteiríssima.

Ele me beija outra vez, bem devagar, então olha minha boca, como se fosse a coisa de que mais sentiu falta.

— Me perdoa.

— Perdoo.

Simples assim.

Ele relaxa o semblante, aliviado. Então me puxa e dá um suspiro profundo em meu cabelo.

— Não acredito que você está aqui de verdade. — Ele me ergue do chão, dá um rodopio e me abaixa de volta. Apoia a testa na minha e sorri. — E agora?

Eu rio.

— Não faço ideia. O resto do meu dia estava dependendo do desenrolar deste momento.

— O meu também. — Ele pega minhas mãos, beija os nós de meus dedos e pressiona junto ao peito. — Eu preciso ver Darya.

Suas palavras me lembram o verso de um dos poemas de seu pai. Já li todos tantas vezes, que decorei, então digo, em voz alta:

— Pois quando um homem diz *vou para casa*, é para o mar que ele deveria rumar.

Eu me viro para abrir a porta do carro, mas Samson pega minha mão e me puxa de volta.

— Foi meu pai que escreveu isso. Você ficou com a minha mochila?

Só neste momento percebo que Samson provavelmente achava que havia perdido a mochila para sempre.

— Fiquei. Peguei na noite em que você foi preso.

— Você guardou os poemas do meu pai?

Assinto com a cabeça.

— Óbvio que guardei.

Seus olhos se enchem de dor, como se ele segurasse as lágrimas. Ele se aproxima de mim, corre os dedos por meus cabelos e aninha minha cabeça entre as mãos.

— Obrigado por acreditar em mim, Beyah.

— Você acreditou em mim primeiro, Samson. Isso era o mínimo que eu podia fazer.

Trinta e dois

Quando enfim chegamos à praia, ele nem parou para apreciar a vista. Saiu do carro, tirou a camisa e foi direto ao seu encontro. Estou na areia faz um tempo, a observá-lo. Ele é a única pessoa na água, e eu sou a única na praia. Está vazia, pois é outubro, e Samson é doido de pular numa água tão gelada.

Mas eu entendo. Ele precisa. São anos de terapia contidos num único mergulho.

Num dado momento ele retorna, então desaba na areia ao meu lado. Está molhado e arquejante, mas parece feliz. Falou muito pouco no caminho para cá, mas eu também não perguntei muita coisa. Ele passou tanto tempo privado de tudo o que ama, que quero lhe dar tempo para absorver tudo antes de bombardeá-lo com perguntas sobre os últimos anos.

Ele olha para trás.

— Não tem ninguém morando na casa da Marjorie?

— Não.

Ele pergunta pois está muito óbvio que a casa não anda recebendo cuidados desde que ficou vazia. Há umas telhas faltando no telhado. A grama está alta.

Marjorie faleceu em março, então Kevin deve pôr a casa à venda em breve. Fiquei péssima por Samson não ter podido comparecer ao funeral. Sei o quanto ela significava para ele. Ela chegou a visitá-lo na prisão algumas vezes.

Samson se deita na areia e acomoda a cabeça em meu colo. Ele me encara com um olhar de paz e alegria. Corro os dedos por seu cabelo molhado e abro um sorriso.

— Cadê o Queijo Pepper Jack? — pergunta ele.

Inclino a cabeça para minha casa.

— Agora fica dentro de casa. Ele e meu pai criaram laços.

— E seu pai e você?

Eu sorrio.

— Também criamos laços. Ele está sendo ótimo.

Samson leva minha mão à boca e dá um beijo. Une as duas mãos à minha, pressiona junto ao peito e permanece assim.

Assim que nos encontramos, quase tudo voltou a se encaixar. Parece que não se passou um único minuto. Não faço ideia do que o amanhã trará, mas tudo de que preciso está contido neste momento.

— Você está diferente — diz ele. — Melhor. Mais feliz.

— Eu estou. — Sinto o coração dele batendo na palma de minha mão. — Não vou mentir, fiquei com muita raiva no início, mas você tinha razão. Foi a melhor coisa. Senão eu nunca teria ido embora.

— Foi horrível — devolve ele, com um sorriso contraditório.
— Uma tortura completa. Não sei nem te dizer quantas vezes quase desmoronei e pedi o seu endereço ao Kevin.

Dou uma risada.

— Que bom saber que você pensava em mim.

— A todo minuto — responde ele, confiante, erguendo a mão e tocando meu rosto. Inclino a cabeça por sobre a mão dele. — Posso te fazer uma pergunta pessoal?

Concordo com a cabeça.

— Você ficou com outros caras?

Pisco os olhos duas vezes. Esperava que ele me perguntasse isso, mas talvez não tão cedo.

Ele se apoia no braço e fica de frente para mim. Estende a mão e faz um carinho reconfortante em minha nuca.

— Só estou perguntando por que espero que a resposta seja sim.

— Você *espera* que eu tenha ficado com outros caras?

Ele dá de ombros.

— Não estou dizendo que não sinto ciúme. Só espero que você tenha se divertido na faculdade, que não tenha encarado o quarto do dormitório como uma cela de prisão.

— Eu fiquei com uns caras. Tive até um namorado durante um tempinho, no primeiro ano.

— Ele era bacana?

— Era. Mas não era você. — Inclino o corpo e o beijo rapidamente. — Eu fiz amigos. Saí. Tirei boas notas. Até adorei a minha equipe de voleibol. Nós éramos muito boas.

Samson escancara um sorriso e volta à posição inicial, com a cabeça entre as minhas coxas.

— Que bom. Então não me arrependo da minha decisão.

— Que bom.

— Como é que vai a Sara? Ela e o Marcos ainda estão juntos?

— Se casaram no ano passado. Ela está grávida de quatro meses.

— Que bacana. Eu esperava muito que desse certo. E a marca de roupas dele? Decolou, afinal?

Aponto para uma casa ao longe, na praia. Samson ergue o cotovelo para olhar.

— Aquela ali é a casa deles. Terminaram de construir faz seis meses.

— A amarela?

— Isso.

— Cacete.

— Pois é, a marca está indo bem. Ele tem muitos seguidores no TikTok, o que alavancou demais os negócios.

— TikTok? — pergunta Samson, balançando a cabeça.

Eu rio.

— Mais tarde eu te mostro, quando você tiver um celular novo.

— Parece que o jogo virou, não é mesmo? — Samson torna a se sentar, então limpa a areia do corpo. — A gente pode visitar eles?

— A Sara e o Marcos? Tipo agora?

— Agorinha, não. Quero ficar mais um pouco botando o papo em dia com você. E também queria ver o seu pai. Devo um pedido de desculpas a ele.

— Pois é, isso não vai ser fácil.

— Eu sei. Mas sou persistente.

Samson me abraça e me puxa para perto. Beija o topo da minha cabeça.

— Como é que devo te chamar? Shawn ou Samson?

— Samson — responde ele, na mesma hora. — Nunca me senti tão à vontade quanto naquele verão, com você. É exatamente aquilo que eu quero ser. Para sempre.

Abraço os joelhos e escondo a boca no cotovelo, para disfarçar o sorriso.

— Onde é que você está morando? — pergunta Samson.

Inclino a cabeça para a casa de praia de meu pai.

— Esta semana estou com meu pai e a Alana, mas tenho um apartamento em Houston. Estou estudando direito.

— Mentira.

Eu rio.

— Estou. Comecei o primeiro semestre agora em agosto.

Samson balança a cabeça, com um misto de orgulho e incredulidade.

— Não sabia que era isso o que você queria fazer.

— Nem eu. Descobri depois da sua prisão. O Kevin ajudou demais. Eu inclusive vou começar a estagiar no escritório dele.

Samson abre um sorrisinho.

— Que orgulho.

— Obrigada.

— Fiz umas aulas durante a detenção. Vou tentar estudar também, se alguma faculdade me aceitar.

Ele desvia os olhos, como se estivesse preocupado com todos os desafios que tem pela frente.

— Como é que foi a prisão?

Ele suspira.

— Foi uma merda, muito ruim. De zero a dez, nota um. Não recomendo.

Eu rio.

— E qual é o próximo passo? Onde você vai morar?

Samson dá de ombros.

— O Kevin é que sabe. Ele falou que arrumou um lugar temporário para mim. Eu até tinha que ter ligado para ele assim que saí da prisão.

— Samson! — exclamo, boquiaberta. — Já se passaram quatro horas. Você não ligou para ele?

— Não tenho telefone. Ia pedir para usar o seu, mas me distraí um pouquinho.

Reviro os olhos e pego meu celular.

— Se você violar a condicional por uma bobagem dessa, eu mesma te devolvo para a cadeia.

Samson tira areia das mãos e pega o celular depois que eu digito o número de Kevin. Ele atende ao segundo toque.

— Ainda não tive notícias — diz Kevin, pensando falar comigo. — Prometi que ligaria assim que tivesse.

— Sou eu, Kevin — responde Samson, abrindo um sorriso para mim. — Já saí.

Há uma pausa do outro lado da linha.

— Esse é o número da Beyah — diz Kevin. — Você está com ela?

— Sim.

— Onde é que você está?

— Na praia.

— A Beyah está ouvindo? — pergunta Kevin.

— Estou — respondo, aproximando-me do telefone.

— Acho que você estava certa em relação a ele.

— Lógico que estava — respondo, com um sorriso.

— Com todo esse comprometimento, já disse que você vai ser uma grande advogada — diz Kevin. — Escuta, Samson. Está escutando?

— A-hã.

— Vou te mandar um e-mail hoje com as informações sobre o seu oficial de condicional. Você tem sete dias para se apresentar. A sua chave está debaixo da pedra, à direita da lata de lixo.

Samson olha para mim e ergue a sobrancelha.

— Que chave?

— A chave da casa da minha mãe.

Samson olha para trás, para a casa de Marjorie.

— Não estou entendendo.

— Pois é, eu sei. A minha mãe me fez prometer que não te contaria até você ser solto, e foi *por isso* que pedi que você me ligasse assim que saísse. Você é péssimo para seguir instruções. A escritura está no meu escritório, levo para você em algum momento durante a semana. Tentei ajeitar um pouco a casa, mas a vida anda muito ocupada. Está precisando de muito conserto.

O olhar de incredulidade no rosto de Samson é tamanho, que eu queria poder tirar uma foto. Tenho certeza de que o meu está igualzinho.

— Você está de brincadeira? — pergunta Samson.

— Não. Você fez umas belas bobagens, mas também fez bem a muitas pessoas dessa comunidade. E minha mãe foi uma delas. Ela achava que você merecia chamar esse lugar de lar, pois sabia o quanto era importante para você.

Samson solta um suspiro trêmulo e larga meu celular na areia. Então se levanta, deixando Kevin do outro lado da linha. Bem perto d'água, ele para e coça a nuca.

Pego o telefone e tiro o excesso de areia.

— A gente pode te ligar depois, Kevin?

— Está tudo bem?

Olho Samson, em sua luta para absorver tudo o que Kevin acabou de dizer.

— Acho que ele só precisa de um tempinho para processar a notícia.

Depois de encerrar a ligação, eu me aproximo de Samson. Paro diante dele e seco as lágrimas de seu rosto, como ele fez tantas vezes comigo.

Ele balança a cabeça.

— Não mereço aquela casa, Beyah.

Pego seu rosto com as duas mãos e o viro para mim.

— Você já foi punido, agora chega. Aceite todas as coisas boas que a vida está te oferecendo.

Ele exala o ar depressa, então me puxa para perto. Não deixo que ele me abrace por muito tempo, pois estou ansiosa demais para encontrar a chave. Pego a mão dele e começo a caminhar.

— Vem, quero ver a sua casa.

Encontramos a chave exatamente onde Kevin disse que estaria. Ao encaixá-la na fechadura, Samson está tremendo. Precisa parar um instante e se apoiar no batente da porta.

— Isso não pode ser verdade — sussurra ele.

A casa está escura, mas vejo a camada de poeira no piso antes que ele acenda a luz. O recinto cheira a sal e bolor. Conhecendo Samson, no entanto, sei que até amanhã ele já terá dado um jeito nisso.

Ele vai andando pela casa, tocando em tudo. Nos armários, nas paredes, nas maçanetas, em toda a mobília de Marjorie. Percorre todos os cômodos e vai suspirando, como se não acreditasse que essa é a sua vida.

Eu também não estou acreditando.

Por fim, Samson abre a porta da escadinha do telhado. Eu subo com ele. Ao chegarmos lá em cima, ele se senta. Abre as pernas e faz um gesto para que eu me sente com ele, à sua frente.

Eu me acomodo, recostada junto ao ombro de Samson. Ele me abraça. Por mais bela que seja a vista daqui de cima, fecho os olhos com força, tamanha era minha saudade de tudo o que sinto por ele. Mais do que eu imaginava.

Passei tanto tempo tentando evitar, que já começava a achar que não sentia mais nada. Mas os sentimentos nunca se apagaram. Nunca se foram. Eu apenas forcei tudo a hibernar, para aliviar a dor.

Vez ou outra, Samson balança a cabeça, totalmente incrédulo. Sei que ele é quieto, desde que o conheci, mas ele nunca ficou tão calado perto de mim. Adoro essa reação. Adoro assistir à mudança de sua vida para melhor, bem diante dos meus olhos.

Olhe só para nós. Duas crianças solitárias, negligenciadas, agora de volta ao topo do mundo.

Samson toca meu rosto, pedindo que eu olhe para ele. Então me encara do mesmo jeito que fez tantas vezes naquele verão: como se eu fosse a coisa mais interessante dessa península.

Ele me beija, depois baixa a cabeça e leva os lábios ao meu ombro. Fica um tempo assim, com a boca colada à minha pele, como se para compensar todos os anos que não pôde me beijar.

— Eu te amo.

As três palavras tocam minha pele feito um sussurro fraco, mas sua força é tamanha, que cicatriza os ossos no meu coração.

Inclino a cabeça para trás, apoio-a em seu ombro, e olho o mar.

— Eu também te amo, Samson.

Fim

Agradecimentos

Obrigada à minha irmãzinha, Murphy Rae, por desenhar a capa original deste livro anos atrás. Eu a olhava o tempo todo, esperando a oportunidade de escrever a história que adornaria seu interior. Você é tão incrível no que faz, e eu te amo!

Minha imensa gratidão a meus primeiros leitores. Vannoy Fite, Erica Russikoff, Gloria Green, Tasara Vega, Karen Lawson, Maria Blalock, Talon Smith, Ashleigh Taylor, Susan Rossman, Kellie Garcia, Stephanie Cohen, Erica Ramirez, Lauren Levine, Katie Pickett Del Re, Racena McConnell, Gloria Landavazo, Mandee Migliaccio e Jenn Benando.

Um IMENSO obrigada a Anjanette e Emilee Guerrero por toda a ajuda com o voleibol.

Este livro passou por uma série de editores, em diferentes estágios. Se você encontrar algum erro, a culpa é única e exclusivamente minha. Eu segui escrevendo muito após o fim das edições. Meu imenso obrigada a Murphy Rae, Lindsey Faber, Ellie McLove e Virginia Tesi Carey, por darem forma a este livro. E obrigada a Alyssa Garcia pela esplêndida diagramação.

Obrigada a Social Butterfly e Jenn Watson, por sempre quererem o melhor para seus autores e para os livros que representam.

À Ariele Stewart e Kristin Dwyer: vocês são incríveis, moças, e tenho muita sorte de tê-las a meu lado, mesmo quando não é necessário.

Obrigada a todos da agência Dystel, Goderich & Bourret, pelo apoio e estímulo infinitos, e por todo o trabalho árduo em cada um dos meus livros.

Obrigada à Montlake Publishing, por me dar a liberdade de ser tanto uma autora *indie* quanto parte de seu grupo de autores publicados. Não há nada melhor do que ter uma equipe de pessoas à minha volta, encorajando-me a escrever tudo o que eu sinta vontade.

Minha imensa gratidão aos leitores, por apoiarem minha carreira, meu hobby, meu sonho.

Há inúmeras pessoas em minha vida sem as quais eu não saberia o que fazer. Tantos colaboradores e voluntários de nossos projetos sociais, assistentes dos meus grupos no Facebook, todos os blogueiros e blogueiras que apoiam meus livros, todos os unicórnios que aparecem para ajudar com o Book Bonanza, todos os CoHorts que me fazem sorrir diariamente. Se eu mencionasse cada nome aqui, os agradecimentos ficariam mais compridos que o livro, pois milhares de vocês impactam a minha vida de forma muito positiva. Agradeço a TODOS.

Obrigada a todos que doam seu tempo, não apenas aos CoHorts, mas aos projetos sociais, Book Bonanza e The Bookworm Box. Susan Rossman, Stephanie Spillane, Sandy Knott, Shanna Crawford, Amy Edwards, Michele McDaniel, Nadine Vandergriff, Gaylynn Fisher, Pamela Carrion, Chelle Lagoski Northcutt, Laurie Darter, Kristin Phillips, Stephanie Cohen, Erica Ramirez, Vannoy Fite, Lin Reynolds e Murphy Rae. Que time poderoso de mulheres vocês são!

E aos homens de minha vida, razão pela qual também tenho ossos no coração. Heath, Levi, Cale e Beckham. Eu te amo, eu te amo, eu te amo, eu te amo.

Este livro foi composto na tipografia Adobe
Caslon Pro, em corpo 11/16, e impresso em
papel off-white no Sistema Cameron da
Divisão Gráfica da Distribuidora Record.